Lof der gezondheid

Louis Ide

Lof der gezondheid

Diagnose van het terminaal Belgisch gezondheidsbeleid

Roularta Books

LOF DER GEZONDHEID

Louis Ide

ISBN 90 8679 022 4

NUR 860

© 2006 by Roularta Books, Roeselare

Tel.: 051 26 65 59

Fax: 051 26 66 80

roulartabooks@roularta.be

www.roulartabooks.be

Eindredactie: Sofie Messeman

Zetwerk en lay-out: Griffo, Gent

Ontwerp cover: Griffo, Gent

Foto auteur: Luc Dewaele

Illustratie Suske en Wiske: © Standaard Uitgeverij 2006

Druk: Erasmus, Wetteren

Wettelijk depot: D/2006/5166/100

Inhoudstafel

Woord vooraf

Louis Ide is een gedreven man. Met een schijnbaar onuitputtelijke energie combineert hij zijn drukke taken als gezinsvader, klinisch bioloog en politiek activist. Daarnaast vond hij op één of andere manier de tijd om dit boek te schrijven. Het is een echt egodocument geworden. De lezer zal kennismaken met de ervaringen die Louis Ide zelf opdeed als geneeskundige en met de inzichten die hij verwierf over de organisatie van onze gezondheidszorg. Dit boek herbergt dus geen wetenschappelijk traktaat of systematisch naslagwerk, maar wel het verhaal van een maatschappelijk geëngageerde dokter.

Met veel overtuigingskracht toont Louis Ide aan hoe de bevoegdheidsverdeling in dit land vandaag niet veel bijdraagt tot onze gezondheid. Niet minder dan 9 ministers zijn in het Belgische kluwen op één of andere manier bevoegd voor gezondheidszorg. Preventie en curatie, idealiter onlosmakelijk met elkaar verbonden en perfect op elkaar afgestemd, zijn op die manier van elkaar gescheiden geraakt. Met surrealistische toestanden tot gevolg.

Over de mogelijke oplossingen laat Louis Ide niet de minste twijfel bestaan. Net zoals Baskenland kan Vlaanderen enorm winnen als het alle bevoegdheden inzake gezondheidszorg in eigen handen zou kunnen nemen. Dit boek legt immers vooral pijnlijk bloot hoezeer de taalgrens in België ook een echte zorggrens is. Het ziekenhuis is Franstalig, de huisarts is Vlaams. Zo vat de auteur het verschil in een boutade samen. Dat verschil in medische cultuur maakt het niet alleen onmogelijk om een doeltreffend beleid te voeren op federaal vlak, het mondt ook uit in sterk uiteenlopende kostenplaatjes.

Wie dit boek leest, zal beseffen dat wij dringend structurele keuzes moeten maken om iedereen te kunnen blijven voorzien van kwalitatief hoogstaande geneeskunde. En dat dit niet zal lukken in een land waar het status quo zo angstvallig bewaakt wordt. Finaal is het essay van Louis Ide dus een dwingende en dringende oproep tot de Vlaamse politieke klasse. Maar ook tot iedere lezer.

Bart De Wever
algemeen voorzitter N-VA

Met dank aan

Anni, Geert, Norbert, Joost, Ignace, Marc, Hugo, Piet,
Geert, Francis, Luc, Katrijn, Jan en Lieven.

Speciale dank aan

Maurits, Eric, Els, Jan, Piet, Bart en An.

I.
Over leven, gezondheid en gezondheidszorg

Hoe begin je in godsnaam aan het schrijven van een boek over gezondheidszorg? Hoe verwoord je dergelijke complexe en veelzijdige materie tot een leesbaar en boeiend verhaal? Het waren de vragen waarmee ik worstelde alvorens achter het computerklavier te gaan zitten. Tijdens de saaie treinritten tussen Kortrijk en Leuven was namelijk de gedachte gerijpt om een boek over gezondheidszorg te schrijven. Maar hoe beginnen? Het systematisch beschrijven van de problemen, beginnend bij preventie en eindigend bij curatieve zorgen, vond ik geen optie. Na ettelijke ritten tussen beide universiteitssteden werd mij duidelijk dat het verdraaid moeilijk is te schrijven over een thema dat ons zo na aan het hart ligt.

Mensen wensen elkaar om de haverklap 'gezondheid' en heffen daarbij het glas. Soms, op piekmomenten als nieuwjaar, onderstrepen ze hun wens door in elkaars armen te vallen. Hetzelfde ritueel speelt zich af op een verjaardag, al heeft die gebeurtenis een speciaal kantje. Een verjaardag brengt ons namelijk een stukje dichter bij het onomkeerbare: de dood.

Dit bedenkend, realiseerde ik me dat een boek over gezondheidszorg en over gezondheid het onvermijdelijk ook over de dood moet hebben. Het lijkt luguber, maar de dood is de enige zekerheid in ons aardse bestaan. Franz Kafka ging nog een stapje verder toen hij schreef: "De zin van het leven is dat het eindigt". Het verwondert mij dan ook dat we het zo moeilijk hebben om over ons levenseinde te praten. We worstelen met het definitieve afscheid. Het is alsof we in onze Westerse wereld niet mogen stil staan bij het einde. Ons levenstempo ligt zo hoog dat we amper tijd hebben voor die gedachte. We verdringen het. Terwijl alle taboes sneuvelen, is praten over de dood niet (meer) mogelijk. Waarom hebben wij het verleerd om te gaan met ziekte, afscheid, dood?

De Westerse cultuur heeft gezondheid tot statussymbool verheven en vertaald als 'goed in je vel zitten'. Het modieuze begrip *wellness* is haast een nieuwe religie geworden met een bepaald soort plastische chirurgen als opperpriesters en hun 'wellnessklinieken' als tempels. 'Er goed uitzien' luidt het motto. Praten over ziekte en dood is *not done*.

Terwijl ik over het concept van het boek prakkiseerde, realiseerde ik me dat ik al op vele manieren met de dood te maken heb gehad. Naast diep persoonlijke ervaringen zoals het heengaan van vrienden en familie, ben ik op een bijzondere manier met de dood in aanraking gekomen. Tijdens de vakanties werkte ik een maand als hulp in de verpleegkunde op de hematologie-oncologie afdeling van een Roeselaars ziekenhuis. Om de haverklap stierf er wel iemand. Sommige van die terminale patiënten staan in mijn geheugen gegrift. Net zoals de mensen in Zuid-Soedan. Ook daar werd ik, tijdens mijn eerste missie, op gruwelijke wijze met de dood geconfronteerd, vooral omdat ik er zo weinig kon doen. Kinderen stierven er de hongerdood. Dat was daar 'normaal'. Dat kinderen moeten sterven is een ondraaglijke gedachte. Niets is zo schrijnend als een ouder die zijn kind ten grave draagt. Het is tegen de natuur. En toch hadden de Nuer rituelen om met de dood om te gaan. De Nuer is een volk dat leeft in het oosten van Zuid-Soedan en in het westen van Ethiopië. Ze vormen één volk, maar blanke bemoeienissen maakten er Soedanezen en Ethiopiërs van. De Nuer leven in stamverband volgens eeuwenoude regels en rituelen waartoe ook het rouwproces behoort.

Wij zijn onze rouwrituelen kwijtgeraakt. Om te ontdekken hoe respectvol onze voorouders hun doden begroeven en eerden moeten we al in heemkundige werken gaan neuzen. We hebben van dood en afscheid nemen een karikatuur gemaakt. Grappen over Pietje de dood zijn er bij de vleet. Vroeger en nu. Eeuwen geleden liet de nar van Leuven zich *staande* begraven. Wanneer mensen vroegen waar de nar begraven *ligt,* bleven zij het antwoord schuldig. Hij *stond* namelijk in zijn graf.

Humor, cynisme, sarcasme tot in de kist. Het is ook een manier om met de dood om te gaan. Sommige mensen verzamelen doodsprentjes, een typisch Vlaams fenomeen waarmee ik als misdienaar te maken kreeg. Tot driemaal toe kwamen verzamelaars een doodssantje halen. Toen dacht ik, voor de eerste keer in mijn leven, over mijn eigen dood na. Bij mijn begrafenis geen *zendjesjagers.* Over mijn lijk!

Denken over je eigen dood...

Op de hematologie-oncologie afdeling lagen mensen die hun eigen begrafenis van naaldje tot draadje hadden uitgestippeld. Het was hun manier om met het nakende levenseinde om te gaan. Ook onder vrienden hebben we het wel eens over de dood. Een goede vriendin liet zich ooit ontvallen dat ze gecremeerd wil worden en dat haar as in een voor haar persoonlijk ontworpen urne bewaard moet worden. Ook dat is nadenken over de dood. Een vriend begrafenisondernemer zal misschien wel wat zien in die kunstige urne: een gat in de markt. De een zijn dood is de ander zijn brood, nietwaar?

Ik vraag me wel eens af hoe ik eeuwig wil slapen. Misschien in zo'n kapel als op de Siciliaanse begraafplaatsen waar hele families 'gezellig' bijeenliggen. Of in een gewoon graf, zij aan zij met mijn vrouw. Of samen onder een steen binnen in de kerk, zoals vroeger. Niet omdat hoogwaardigheidsbekleders dit voorrecht hadden, maar het vooruitzicht dat een argeloos kind over mij heen huppelt, zich niet realiserend wat het leven is en dus de dood betekent, lijkt me een aangename gedachte.

De weg naar de dood is het leven, zo je wilt. Waarom we leven is een vraag die ik niet zal en ook niet kan beantwoorden, maar één ding is zeker: we willen die levensweg zo aangenaam mogelijk maken. Zijn we gelijk in de dood, in het leven zijn we dat niet. Darwin zou het beamen. En dat brengt me tot de gezondheid van een mens. Gezondheid is een essentieel onderdeel van het leven, zelfs tot op het moment dat een sterveling zijn laatste adem uitblaast. Daarom zijn palliatieve zorgen zo belangrijk. Ik vind het nog altijd hallucinant dat de euthanasiewet zo *vlotjes* is aanvaard en dreigt uitgebreid te worden, zonder verdere investeringen in de palliatieve zorgen. Wel integendeel: de federale minister van Volksgezondheid Rudy Demotte (PS) wil er nog op besparen ook. Hij stopt de subsidies voor de palliatieve dagcentra, die nochtans een typisch Vlaamse bekommernis zijn! Gelukkig is de wil er in de Vlaamse regering om de palliatieve zorgen verder te financieren. Maar is het niet bijzonder onsolidair ten opzichte van de Vlamingen dat de Franstalige, federale minister van Volksgezondheid deze geldkraan dicht draait? Ook mis ik de sereniteit in de woorden van 'euthanasiedokter' Wim Distelmans, zoals de ratio ontbreekt in de emotionele betogen van Jeannine Leduc, de heftige VLD-senatrice die zich als een autoritaire schooldirectrice in het debat mengde. Ik wil de discussies over euthanasie niet overdoen, maar ik mis het broodnodige evenwicht in thema's die handelen over leven en dood. Zoeken naar sereniteit en ratio in de gezondheidszorg is zoeken naar evenwicht in het leven. Een goed leven gaat hand in hand met een goede gezondheid. Gezondheid is geen synoniem voor 'niet ziek zijn'. Het is veel meer dan dat. Gezondheid gaat over én psychisch én fysisch én sociaal welzijn. In de palliatieve zorgen, gaat het bij uitstek over alle facetten van welzijn. En dit is eigenlijk voor alle mensen zo. In Oeganda bijvoorbeeld 'beheerst' men (naar Afrikaanse normen) het HIV/AIDS probleem op voorbeeldige wijze. Er wordt aan preventie gedaan en aan het doorbreken van het taboe dat op HIV/AIDS rust. Minstens even belangrijk is dat er een buddysysteem bestaat waarbij een terminale aidspatiënt door een vrijwilliger geholpen wordt bij het regelen van praktische zaken zoals het toewijzen van zijn bezittingen aan zijn nabestaanden. Voor de patiënt betekent dit enorm veel. Zo kan hij in alle gemoedsrust en sereniteit afscheid nemen van het leven. Het buddysysteem of de persoonlijke vrijwilliger zorgt voor het psychisch en sociaal welzijn van de patiënt en dat is op dat moment even belangrijk als het lichamelijk welzijn.

De dualiteit in onze maatschappij wordt ten top gedreven als het om het ongeboren leven gaat. Wanneer een vrouw zes weken zwanger is, ziet ze op de echografie het hartje van de foetus 'flikkeren'. Voor de kersverse ouders is dat ongeboren leven een kindje: hún kindje. Dan het vruchtje verliezen, komt hard aan. Onze grootmoeders daarentegen wisten na zes weken misschien nog niet eens dat ze zwanger waren. Ze gingen bovendien ook anders om met het ongeboren leven. In sommige culturen, waar er grote kindersterfte is, wachten kersverse ouders een naam te geven aan hun pasgeborene tot het enkele maanden oud is. Dan wordt het kindje pas echt levensvatbaar geacht en krijgt het een naam.

Vandaag wordt het leven anders gedefinieerd. De huidige wetgeving weerspiegelt deze wijziging. Ongeboren kinderen die na 180 dagen in de moederschoot sterven, kunnen op vraag van de ouders officieel een naam krijgen én een begrafenis. Daarnaast kunnen dankzij de moderne geneeskunde te vroeg geboren kinderen, soms van enkele honderd gram, ter wereld worden gebracht én er ook blijven. Tegelijkertijd echter werd in 1990 de abortuswet goedgekeurd. Niet dat ik een steen werp naar de totaal ontredderde moeder die geen steun krijgt van de vader van haar kind of van haar familie en daarom deze verschrikkelijke keuze maakt. Neen, het valt me op dat onze maatschappij echt wel schizofreen denkt over leven, gezondheid en dood.

Ziekte maakt het leven onaangenaam en soms ondraaglijk. Daarom willen we ziekte te allen prijze vermijden. Vreemd genoeg en haast contradictoir wordt daarin niet altijd voldoende geïnvesteerd. Niet door de maatschappij, niet door het individu. Ik herinner me de plastische bewoording van mijn 'baas' en mentor, een microbioloog die met een drieletterwoord BTW (zijnde *bier, tabak* en *wijven*) de vinger op de wonde legde. Zonder dat drieletterwoord, doceerde hij, is de helft van het ziekenhuis leeg. Toch blijven mensen roken en drinken. En dit is niet een uitsluitend Westers fenomeen. Ook in Soedan en Tsjaad, trof ik in de meest rurale gebieden verstokte rokers en stevige drinkers aan. Zelfs in gebieden waar hongersnood heerste, werd van zodra granen uit de buik van een vliegtuig waren gedropt, alcohol gestookt. Het is genoegzaam bekend dat paffen en zuipen de gezondheid schaden maar dat deert de miljoenen rokers blijkbaar niet. Ze blijven maar naar hun kankerstokken grijpen. Het is blijkbaar menselijk... En aangezien ook ik een mens ben, is niets menselijks mij vreemd. Af en toe een glaasje wijn, of in mijn geval een Rodenbach, met mate(n) gedronken, op uw gezondheid is wél toegestaan...

Het leven en de dood zijn onlosmakelijk met elkaar verbonden. Een goede gezondheid is een voorwaarde voor dat leven. Op het eindpunt, wanneer de dood nadert, speelt voor de meesten van ons die gezondheid ons parten. Een goede gezondheidszorg helpt ons onder andere die onvermijdelijke stap te zetten. Het één hangt vast aan het ander. Dat beseffen, moeten we vandaag opnieuw leren.

II.
Beter voorkomen dan genezen

In ontwikkelingslanden is het vermijden van ziekten prioriteit nummer één. Alleen al schoon water zou de mensen in het Zuiden veel ellende besparen. Nog niet zo lang geleden stierven onze voorouders aan een fulminante diarree omdat het water bezoedeld was met de cholerabacterie. John Snow had als eerste door dat de waterpompen en het slecht georganiseerd waternetwerk in Londen daar de oorzaak van waren. Er was eenvoudigweg geen scheiding tussen vuil en proper water. Nu is dat een evidentie en staan we er

Hygiëne: werk aan de winkel! Pala, Tsjaad
© Louis Ide

niet meer bij stil dat onze kranen dagelijks zuiver water leveren. Maar voor vele mensen blijft schoon water nog een droom en kampen ze onophoudelijk met ziekten ten gevolge van verontreinigd water. Er zijn in het Zuiden gelukkig nog andere mogelijkheden om ziekten te voorkomen.

Een echt succesverhaal is de wereldwijde vaccinatie tegen pokken. De pokken zijn de wereld uit. Efficiënter dan inenten bestaat niet. Het is trouwens een relatief goedkope remedie en bovendien vrij toegankelijk voor iedereen.

De pokken zijn de wereld uit. Dit is de laatste man ter wereld die aan de pokkenziekte leed

Weldra wordt polio misschien ook naar de medische geschiedenisboeken verwezen. Polio of kinderverlamming wordt veroorzaakt door een virus dat de zenuwen aantast. Wanneer het virus de longzenuwen teisterde, kwamen veelal jonge patiëntjes in een 'ijzeren long' terecht. Ouderen zullen zich dat herinneren. Jongeren kennen kinderverlamming alleen uit het album *De Klankentapper* van Suske en Wiske. Gelukkig heb ik die plaatjes uit de oude doos. Of toch niet helemaal? Er woeden in landen als Nigeria, Afghanistan en Somalië niet alleen oorlogen maar ook hardnekkige haarden van polio. Enkel een vastberaden en volgehouden vaccinatie kan deze ziekte verbannen uit ons bestaan.

© Standaard Uitgeverij 2006

Omdat voorkomen beter dan genezen is, moeten we voluit gaan voor meer preventie door vaccinatie. Maar daarvoor moet het budget voor preventie substantieel omhoog. Voor elke euro die aan preventie besteed wordt, gaat er 103 euro naar de rest van de gezondheidszorg. Het mag dus iets meer zijn, om het zacht uit te drukken.

Een prikje bescherming

Nieuwe vaccins zijn doorgaans heel duur. Wanneer jonge ouders hun kinderen willen laten inenten tegen de gevaarlijke pneumokok (een bacterie die een zware bloedvergiftiging, longontsteking en/of hersenvliesontsteking kan veroorzaken), betalen zij meer dan 250 euro. Het vaccin beschermt niet alleen kinderen tegen gevaarlijke types van de pneumokok, ook bejaarden varen er wel bij. Het zijn namelijk kleine kinderen die het beestje aan de grootouders doorgeven. Waarom wordt er dan niet direct op grote schaal gevaccineerd? Waarom talmt de overheid dan zo lang?

Om het antwoord te kennen, moeten we even terug in de tijd. In juli 2001 wilde Vlaanderen zijn kinderen tegen hersenvliesontsteking inenten. Maar liefst negen (!) ministers moesten daarover hun zegen geven. Nochtans valt preventie onder de bevoegdheid van de Vlaamse minister van Welzijn. Je denkt dan dat die alle macht heeft om te beslissen, maar zo werkt dat niet in België. Alle ministers die van bij of van ver ook maar iets met de zaak te maken hebben, willen hun zegje doen. En ook al gaat het om een Vlaamse campagne, dan nog moeten Franstalige excellenties zich moeien! Daarom en ondanks de druk van de Christelijke Mutualiteiten, bleef de beslissing tot een algemene pneumokokken vaccinatie uit. Gelukkig, na veel gepalaver, kon minister Inge Vervotte (CD&V), de Vlaamse minister van Welzijn, haar zin doordrijven en volgde Rudy Demotte voor één keer gedwee.

Ook de Wereld Gezondheidsorganisatie (WGO) streeft naar meer doelmatigheid en doeltreffendheid in de gezondheidszorg. Om dit ideaal te bereiken, moet aan de structuur van onze gezondheidszorg een en ander veranderen. Zo had volgend sterk verhaal vermeden kunnen worden.

In 2002 ontpopte de federale paars-groene regering zich tot de grootste promotor van een Vlaamse gezondheidszorg. Het onoverzichtelijk kluwen van bevoegdheden en uiteenlopende visies leidde er toe dat 62.000 Vlaamse borelingen niet tijdig werden gevaccineerd tegen hepatitis B, een vorm van geelzucht. En dit terwijl de meerderheid van alle infecties precies tijdens de kinderjaren moet worden bestreden. Dit verzuim mag de toenmalige minister van Welzijn en Gezondheid Mieke Vogels (toen Agalev, nu Groen!) op haar conto schrijven.

Diezelfde overmaat aan ministers is er ook de oorzaak van dat Artsen Zonder Grenzen op een bepaald moment niet langer anonieme AIDS-testen in België aanbood. Ze konden maar geen akkoord sluiten, net zoals in de vaccinatiecampagne. Zeg nu zelf: acht of negen (naargelang de regeerperiode) excellenties met sterk uiteenlopende visies op gezondheidszorg over vaccinatiecampagnes laten

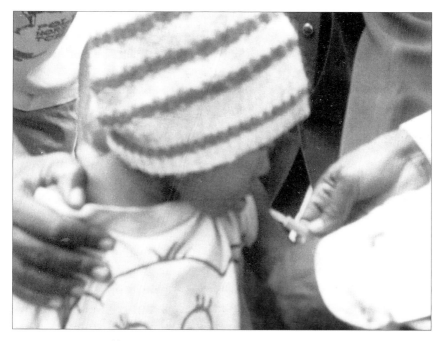

Vaccineren tegen meningitis in Tsjaad redt levens
© Louis Ide

beslissen, is echt om moeilijkheden vragen. Mocht dit in Congo gebeuren, dan schreef Karel De Gucht vast en zeker een vlammende brief naar de president.

Vaccineren is iets typisch 'Vlaams'. Dat blijkt uit cijfers van het Wetenschappelijk Instituut voor Volksgezondheid. Vlaanderen vaccineert veel meer tegen hersenvliesontsteking (meningitis C) dan Brussel en Wallonië. Vlaanderen stampte ook *Vaccinnet* uit de grond, een bestand op internet toegankelijk voor artsen die vaccineren. De arts kan zo netjes alle vaccinaties registreren. Automatisch krijgt hij dan nieuwe vaccins. Dit is het zoveelste bewijs dat Vlaanderen preventie en curatieve zorgen even hoog inschat. Voorkomen is beter dan genezen, niet alleen om persoonlijk leed te voorkomen maar ook omdat preventie uiteindelijk veel goedkoper is.

Gentse en Karolingische hartinfarcten

Het is een goede attitude om jezelf als arts steeds weer in vraag te stellen. De wetenschap staat niet stil en wat gisteren waarheid was, is het vandaag misschien niet meer. Daarom schuim ik regelmatig het internet af op zoek naar bruikbare informatie, soms gericht en soms ook niet. Zo klik ik af en toe de zoekmachine *PubMed* aan, dit is zowat de medische *Google*.

Gezien mijn communautaire interesses tikte ik nog niet eens zo lang geleden 'regional, differences, belgium' in. Daar stuitte ik op een onderzoek naar de oorzaken van hartinfarcten (doodsoorzaak nummer 1 in België) in Charleroi en Gent. De Borinage spande de kroon. Onze Franstalige buren lijden aan een te hoog cholesterolgehalte in hun bloed. Dit zou het hoger aantal hartinfarcten in Charleroi kunnen verklaren. Vol verbazing las ik dat de onderzoekers daaruit de conclusie trekken dat de culturele verschillen tussen Vlaanderen en Wallonië een eigen aanpak van de gezondheidsproblemen in beide regio's vragen. Ik had het zelf niet beter kunnen bedenken.

Als het trouwens aan de federale minister van Volksgezondheid lag, gaan we straks met zijn allen gezonder eten. In april 2006 lanceerde hij een nationale voedingscampagne. Hij kreeg steun uit onverwachte hoek. Sonja Kimpen, bekend van *'je bent wat je eet'* (VTM), bewierookte Demotte in haar vrije tribune in *De Standaard* (12 april 2006). Ze besloot met de waarschuwing dat politici nu niet moeten gaan kibbelen over de bevoegdheden, want gezondheid overstijgt de bevoegdheden (voedingspreventie is namelijk Vlaamse materie). Helaas voor mevrouw Kimpen zijn bevoegdheden er om gerespecteerd te worden. Want bevoegdheden zijn er ook niet zomaar. Als Vlaanderen best zijn eigen voedselpreventie op poten zet, is daar wetenschappelijke evidentie voor. Los van de studie in Gent en Charleroi die ik op *PubMed* vond, stelt ook professor Hugo Kesteloot (cardioloog aan de KULeuven) in zijn vele wetenschappelijke studies vast dat hart- en vaatziekten vaker in Franstalig België voorkomen. Door hun voedingspatroon gebruiken Vlamingen meer 'betere' onverzadigde vetzuren, Franstaligen daarentegen meer 'slechtere' verzadigde vetzuren.

Een hogere cholesterolwaarde in het bloed en het risico op hartinfarcten staan in relatie tot de voedingsgewoonten. De voedingsgewoonten zien er bij Vlaamse en Waalse jongeren anders uit. Walen eten meer fruit maar ontbijten niet. Vlamingen drinken helaas meer frisdranken maar verorberen meer groenten. In een visie waar je ziekten wilt voorkomen door bewustmaking, is het belangrijk dit te weten. Zo kun je gerichte campagnes op het getouw zetten. Een affichecampagne in Vlaanderen zal fruit aanraden, een analoge campagne in Wallonië zal zijn pijlen richten op het gebruik van meer groenten en een goed ontbijt. Het is dus logisch dat een minister van een gemeenschap zich hierom bekommert en geen federale excellentie wie per definitie de voeling met de eigenheid van elk van de gemeenschappen ontbeert. Als zelfverklaarde voedingspecialiste negeert mevrouw Kimpen deze feiten. Ze zou er dus beter aan doen eerst de wetenschappelijke literatuur te raadplegen, vooraleer de democratisch toegekende politieke bevoegdheden af te kraken.

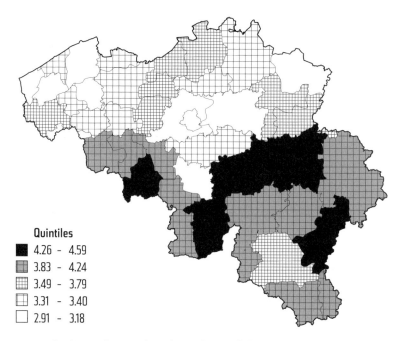

Quintiles
- ■ 4.26 - 4.59
- ▨ 3.83 - 4.24
- ▦ 3.49 - 3.79
- ▦ 3.31 - 3.40
- □ 2.91 - 3.18

Cardiovasculaire sterfte in het zuiden van België is problematischer

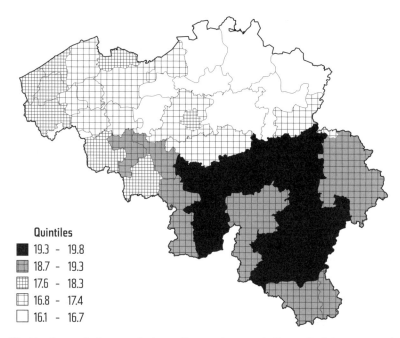

Quintiles
- ■ 19.3 - 19.8
- ▨ 18.7 - 19.3
- ▦ 17.6 - 18.3
- ▦ 16.8 - 17.4
- □ 16.1 - 16.7

'Slechtere' verzadigde vetten in de voeding worden meer in Franstalig België genuttigd

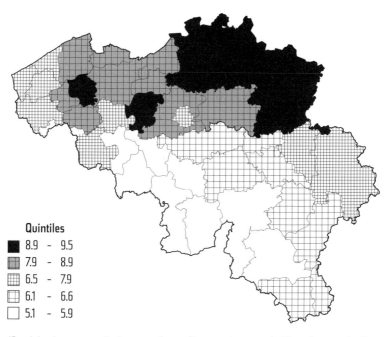

Quintiles

- ■ 8.9 - 9.5
- ▦ 7.9 - 8.9
- ▦ 6.5 - 7.9
- ▦ 6.1 - 6.6
- □ 5.1 - 5.9

'Goede' poly-onverzadigde vetten in voeding worden meer in Vlaanderen gebruikt
© H. Kesteloot: Tempo Medical België, nr 77 - sept. 1987

Dringend op te sporen: baarmoederhalskanker en borstkanker!

Het vroegtijdig opsporen van borstkanker en baarmoederhalskanker hoort thuis in het domein van de preventie. In Vlaanderen wordt hoofdzakelijk gebruik gemaakt van de screeningsmammografie voor het preventief borstklieronderzoek. Deze wordt streng gecontroleerd op kwaliteitsnormen en apparatuur. Een dubbele lezing door twee artsen die onafhankelijk van elkaar de foto's interpreteren, garandeert een correcte diagnose. In Wallonië wordt in de meeste gevallen de veel duurdere, maar daarom kwalitatief niet betere diagnostische mammografie aangewend. *Artsenkrant* bevestigt dat onomwonden. De journalist voegt eraan toe dat de Vlaamse mobiele screeningsmammografie het borstonderzoek als het ware tot bij de vrouw aan huis brengt én dat er ook regelmatig brieven gestuurd worden naar de Vlaamse vrouwen die voor het onderzoek in aanmerking komen. Op die laagdrempelige manier spoort Vlaanderen zijn vrouwen aan tot meer preventie.

Aanvankelijk hinkte Vlaanderen wat achterop, maar uiteindelijk laten meer en meer Vlaamse vrouwen regelmatig een uitstrijkje nemen en hun borsten onderzoeken. Toch valt het ook hier op dat men in Wallonië veel minder uitstrijkjes neemt én veel vlugger tot duurdere onderzoeken over gaat.

Brieven naar patiënten sturen, zou trouwens de regel moeten worden. Tandartsen doen dit al. Wie een jaartje vergeet langs te komen, wordt daarop attent gemaakt. Bij artsen gebeurt dit onvoldoende, deels omdat het niet mag. Het zou te veel naar ronselen van patiënten ruiken. Het is nochtans zinvol mocht de huisarts zijn patiënt kun-

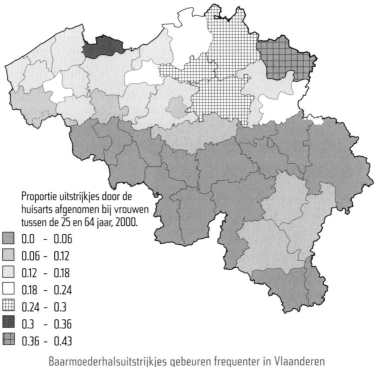

Baarmoederhalsuitstrijkjes gebeuren frequenter in Vlaanderen
Duurdere onderzoeken zijn bijgevolg een zaak van Franstalig België
Gegevens van het WIV

nen meedelen dat hij/zij bijvoorbeeld een nieuwe vaccinatie tegen tetanus nodig heeft. Of wanneer een vrouw best even langskomt voor een uitstrijkje en/of borstonderzoek. Veel rompslomp brengen die (elektronische) brieven niet mee omdat meer en meer huisartsen het medische dossier van hun patiënten elektronisch bijhouden. Het is dan ook een koud kunstje om vanuit dergelijk bestand brieven 'automatisch' te genereren. Artsen die inspanningen doen om patiënten tot meer preventie aan te zetten, zouden door de overheid beloond kunnen worden, een stelling die professor Annemans (gezondheidseconoom aan de UGent) verdedigt.

Propere handen!

Bewustmakingscampagnes horen bij preventie. Ze zijn de gedroomde gelegenheid om gezondheidswerkers én patiënten te laten samenwerken. Op die manier betrek je een hele bevolking bij een bestaand probleem. De strijd tegen de ziekenhuisbacterie bijvoorbeeld kan alleen maar door meer preventie gewonnen worden. Om de methicilline resistente *Staphylococcus aureus*, kortweg de MRSA-bacterie, te bestrijden moeten artsen, verpleegkundigen, patiënten én ziekenhuisbezoekers aan hetzelfde zeel trekken. Het is niet ongewoon dat soms tot één derde van de patiënten in een ziekenhuis door de bacterie gekoloniseerd wordt. Deze patiënten zijn daarom niet ziek, maar ze zijn wel drager van de bacterie. In Nederland is dat minder dan 1 %! Ik keek dan ook niet vreemd op toen ik als geneeskundestudent in Nederland eerst een wisser, een soort oorstaafje, in mijn neus geduwd kreeg. Men wilde namelijk weten of ik 'het beestje' al dan niet had mee gebracht uit Belgenland.

Wie drager is van de MRSA-bacterie is meestal niet ziek. Maar bij verzwakte mensen, zoals patiënten in het ziekenhuis vaak zijn, kan het beestje wél agressief worden. Dan kan de MRSA-bacterie infecties veroorzaken die zeer moeilijk te behandelen zijn. Er is maar één krachtdadige manier om de strijd tegen deze bacterie te winnen: de MRSA vermijden door het consequent gebruik van alcoholische gels die de handen van verplegers, thuiszorgers, artsen, kinesisten, verzorgenden én bezoekers ontsmetten. In de strijd tegen de bacterie is de patiënt namelijk bondgenoot én 'hand-langer', de ziekenhuis-bacterie wordt voornamelijk via de handen overgedragen.

De meeste ziekenhuizen startten al een campagne, maar deze zal alleen vruchten afwerpen als ze wordt volgehouden en algemeen verspreid wordt. En als de op stapel staande antibioticaprojecten worden gefinancierd. Nog iets wat minister Demotte op de helling wilde zetten. De gels moeten ook hun weg vinden naar rusthuizen en thuisverpleging want de MRSA-bacterie beperkt zich niet alleen tot de ziekenhuizen. Tot slot moet een duidelijke wetgeving de arts-hygiënist meer slagkracht geven ten opzichte van zijn collegae en moeten ziekenhuizen die het aantal DDD (een maat voor antibioti-caverbruik) van de voorbeeldige Scandinavische landen halen, finan-cieel beloond worden.

De MRSA-bacterie heeft zowaar ook nog een voorkeur voor Franstaligen. In Vlaanderen worden er 2.4 MRSA's per 1000 opnamen in het ziekenhuis opgelopen. In Wallonië zijn er dat 3.9 en in Brussel 7.8. Een hoger antibioticaverbruik in Brussel en Wallonië kan onder andere de verklaring zijn voor het verschil in 'ziekenhuis verworven MRSA's', zoals dokters dat in hun vakjargon zeggen.

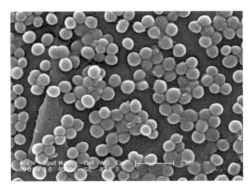

De ziekenhuisbacterie of MRSA onder de elektronenmicroscoop

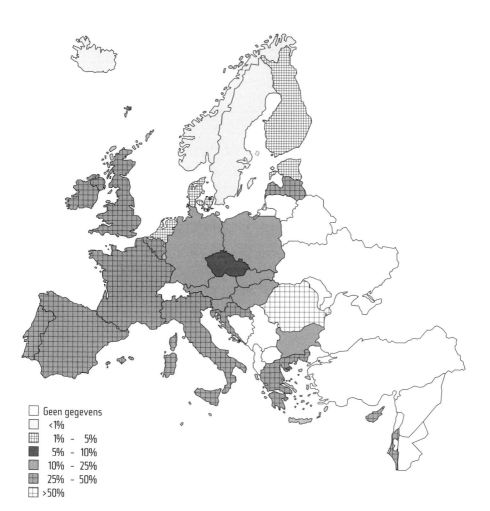

Geen gegevens
<1%
1% - 5%
5% - 10%
10% - 25%
25% - 50%
>50%

De ziekenhuisbacterie in Europa: België doet het slecht, Nederland goed
Gegevens van de EARSS

Het algemeen belang boven het individueel belang

Een aantal landen probeert bepaalde ziekten te voorkomen door het algemeen belang boven het individueel belang te plaatsen. Dat is soms een heel goede zaak. Zo krijgt het keukenzout in Iran systematisch jodium toegevoegd in de hoop op goedkope wijze schildklierproblemen te voorkomen. Op de keper beschouwd is dit een aanslag op de individuele vrijheid van de Iraniërs, maar in dit geval wegen de nadelen niet op tegen de voordelen.

Een soortgelijke redenering zit ook achter het toevoegen van fluor aan kraantjeswater. Waar dat gebeurt, stellen onderzoekers minder tandbederf vast. Natuurlijk bestaat het risico op een teveel aan fluor indien extra supplementen (tabletten, tandpasta, spoelmiddelen,…) naast kraantjeswater worden gebruikt. Een teveel kan schadelijk zijn voor botten en tanden. Een fluorsupplement in water, tandpasta's of tabletten is zinvol als dit wetenschappelijk gefundeerd is. De tandarts is de deskundige bij uitstek om op wetenschappelijke basis te beslissen of een patiënt nood heeft aan een extra fluorsupplement. Vervolgens moeten die wetenschappelijke verantwoorde keuzen hun weg vinden naar de politieke besluitvorming.

Zo verloor Magda Aelvoet (Agalev, nu Groen!) als federaal minister van Volksgezondheid in de toenmalige paarsgroene regering compleet de pedalen toen ze ten strijde trok tegen fluor en dit deed om haar 'alternatieve' achterban te sussen. Als politica had ze zich niet moeten inlaten met materies waar tandartsen en wetenschappers al jarenlang mee bezig zijn.

Waar lag de verantwoordelijkheid van mevrouw Aelvoet dan wel? In het creëren van een kader waarbinnen de wetenschappers zich ten volle kunnen ontplooien, ten dienste van de gemeenschap. Meer bepaald had zij een volwaardige preventieve tandheelkunde moeten ontwikkelen zoals onze noorderburen die al jaren kennen. Om het eenvoudig te stellen: fluorsupplementen aan water in een correcte dosering toegevoegd, kunnen absoluut geen kwaad, wel integendeel.

Het fluorverhaal is trouwens slechts een bescheiden aspect van de preventieve tandheelkunde. Preventieve tandheelkunde wordt tot op heden ondergewaardeerd en nauwelijks gehonoreerd. Wat in Nederland sterk is uitgebouwd, staat in schril contrast tot wat in België doorgaat voor een goed ondersteunde preventieve tandheelkunde. En stond u er ooit al bij stil wie die tandartsassistente is en wat ze doet, toen u het liedje "het is altijd lente in de ogen van de tandartsassistente" dagelijks op de radio hoorde? Wellicht niet, want net als het nummertje zijn tandartsassistenten en mondhygiënisten eerder 'Nederlands'.

Olympisch goud voor mijn turnleraar: sport als preventie

Het beeld staat in mijn geheugen gegrift. Ik was een tengere 13-jarige en stond met mijn klasgenootjes van het eerste jaar netjes op een rij in de nagelnieuwe sporthal. De turnleraar was een *fin de carrière* met een jarenlange ervaring en ging het jaar daarop met pensioen. De man maakte ons duidelijk dat elke leerling de tijgersprong moest kunnen uitvoeren. Maar de boodschap was op het eerste moment niet wat ze leek. De turnleraar beschouwde de klas als één geheel. Hij was er zich goed van bewust dat het gros van de jongens de plint *vlotjes* zou nemen. Anderen zouden dat met iets meer moeite doen en een paar jongens zouden 'blijven haperen'. Door de klas als geheel te nemen, alvorens punten werden verdiend, werd de turnleraar een coach. De hele klas werd op haar beurt de coach van die laatste jongen die de plint over moest. Groot was de ontlading wanneer dat gebeurde, een olympisch moment haast. De protocollaire ceremonie volgde: de hele klas voerde op het eind van het jaar een dievensprong, een tijgersprong,... in tempo én consecutief uit. Een mooi zicht was dat. Zoveel jaar 'zittend' leven later, besef ik het belang van het vak lichamelijke opvoeding. Een stevige les LO motiveert élk kind tot sporten en draagt bij tot een goede groepsgeest, een goede fysiek en een goede gezondheid.

Professor emeritus Hugo Kesteloot (cardioloog aan de KULeuven) heeft het bij het rechte eind wanneer hij met een boutade stelt dat Albanië (ondanks zeer lage uitgaven in de gezondheidszorg) het beter doet op vlak van levensverwachting of gezondheid, dan pakweg de Verenigde Staten (ongeveer 15% van het BNP gaat daar naar de gezondheidszorg) én dit dankzij een betere levensgewoonte. Meer bepaald heeft het gebruik van olijfolie volgens de professor een zeer grote invloed op de gezondheid van een populatie. Daarom doet Albanië het beter. *Mens sana in corpore sano* is meer dan ooit actueel, een gezonde levensstijl mét sport maakt daar zeker en vast deel van uit.

In die optiek pleit ik ook voor meer sport op school en meer mogelijkheden voor sportverenigingen. Ik hou hier bewust geen pleidooi voor topsport. Waarom? Allereerst worden we ermee om de oren geslagen alsof het om een prioriteit voor de Vlamingen gaat. Daarenboven stel ik me ook de vraag hoe gezond topsport nog is en kan zijn. Ik vrees dat de voorzitter van het Internationaal Olympisch Comité, dokter Jacques Rogge, een gevecht der titanen levert. Alleen Spelen voor amateurs (zonder het financiële circus errond) zou de kans op dopingvrije Spelen verhogen. Toch is topsport mooi en kan het jonge mensen tot meer sport aanzetten. Maar ik hou het liever bij de visie van de moeder van turnster Aagje Van Walleghem: "Topsport, je rolt erin...", verklaarde ze op de VRT toen haar dochter de *final 20* haalde op de Olympische Spelen van Athene. Eerder dan op Chinese wijze kinderen tot uitzinnige prestaties te dwingen tot meerdere eer en glorie van... Ja, van wat of van wie? Vanzelfsprekend moet een talent begeleid worden. Een sportschool in elke provincie met de nodige omkadering én aandacht voor het leven na de sport, kan hier het vertrekpunt zijn. Het is dus veel belangrijker te werken aan de basis van de piramide.

Sport is net als muziek, theater en plastische kunsten een vreemde eend in de schoolse bijt. Niettemin wordt er getracht een minimum aan deze 'vakken' te doceren. Het Vlaams onderwijs is per definitie breed en dat geldt voor bijna alle richtingen. Andere landen opteren voor meer specialisatie waarbij ik willekeurig denk aan het systeem van *A-* en *O-levels* in het Brits onderwijs. Op die manier worden jongeren, als ze goed zijn, in bepaalde richtingen gekanaliseerd. Je kan hun talent dan ook beter tot hun recht laten komen. De keerzijde van deze medaille is dat je riskeert een hoop vakidioten te kweken. Of vriendelijker gezegd: wat na de sport? Het zwarte gat? Want de beste sporter is later niet per definitie de beste trainer, of de meest begripvolle sportpedagoog.

Het is frappant dat net de buitenbeentjes van ons onderwijs elk hun eigen tempel hebben. De academies voor muziek en woord, de tekenacademie, de balletklas, de talloze sportverenigingen... Ze bloeien als nooit voorheen. Veel voetbalclubs moeten jonge spelertjes weigeren omwille van logistieke problemen. Een coherente aanpak waarbij de overheid misschien niet zoveel in vakjes denkt en zorgt voor een kruisbestuiving tussen scholen, de tempeltjes en goed uitgebouwde (sport)verenigingen, kan leiden tot een grotere doeltreffendheid. Topsport is slechts een fractie van de sport. Topsport wordt gekenmerkt door een doorgedreven prestatiedrang, de drang naar 'absoluut de eerste zijn'. Sport daarentegen is er voor iedereen, vergt ook prestaties maar je hoeft niet per se de eerste te zijn. Sport moet gezond zijn en gezond maken. Sport is ook preventieve gezondheidszorg. De minister van Sport moet beseffen dat hij de minister van Sport is en niet de minister van Topsport. Maar dat is misschien niet de boodschap waarmee je media haalt.

Kind en Gezin: een succesverhaal

Uit het vroegere Nationaal Werk voor Kinderwelzijn groeide het Vlaamse Kind en Gezin (K&G) en de Franstalige Office de la Naissance et de l'Enfance (ONE). Kind en Gezin ontpopte zich tot een voorbeeld van welzijnszorg waar Vlaanderen terecht trots op is. Vlaanderen investeert ook veel in K&G, meer dan de Franstalige gemeenschap in haar ONE, dat er ook een andere werking op nahoudt. Tot de typische dienstverlening van K&G behoren de huisbezoeken. Op die manier neemt een verpleegkundige discreet poolshoogte van de hele gezinssituatie. Kan een maatschappij beter geïnformeerd zijn over haar nieuwste burger en de omgeving waarin hij/zij opgroeit? K&G doet dit trouwens voor iedereen en zonder onderscheid. Dat zorgt ervoor dat K&G een deel is van de maatschappij. ONE daarentegen kiest er voor om gericht kansarme mensen op te sporen en alleen dezen te bezoeken.

Ook de gehoortests en de vele vaccins van K&G missen hun doel niet. Maar er gebeurt veel meer dan dat. Ik denk aan de kinderopvang en de controles op kinderopvang, zodat we onze telgen met een gerust hart aan de goede zorgen van kinderverzorgsters kunnen overlaten. Daar waar vroeger door 'de weging' in een zaaltje achter het lokale patronaat de moeders (en de vaders) gerustgesteld werden, kunnen ouders nu terecht op zo'n 300-tal trefpunten waar professioneel advies wordt verstrekt. Wie wil kan zijn afspraken trouwens via internet vastleggen. Dankzij de Vlaamse politieke wereld is K&G een succesverhaal geworden. Niet één partij mag deze pluim op haar hoed steken. Regeerperiode na regeerperiode wordt in kinderen – onze kinderen! – terecht geïnvesteerd. K&G is dan ook hét voorbeeld om aan te tonen dat defederalisering van de gezondheidszorg tot een betere gezondheidszorg leidt. Ik hoop aan beide kanten van de taalgrens.

Vervotte, hou hem in De mot(te)!

De federale minister van Volksgezondheid Rudy Demotte is een bedrijvig baasje. Hij is zo ijverig dat hij zijn eigen bevoegdheden door tijdsgebrek verwaarloost. De man ontpopt zich namelijk tot een groot voorvechter van de preventie. Hij neemt initiatieven bij de vleet en vergeet daarbij (gemakshalve?) dat preventie een Vlaamse bevoegdheid is. Meer bepaald een verantwoordelijkheid van Inge Vervotte, de Vlaamse minister van Welzijn. Wie zich met andermans zaken bemoeit, heeft inderdaad tijd tekort om zijn eigen ding tot een goed einde te brengen...

Minister Demotte gedraagt zich daarbij als een olifant in een porseleinenkast. En Inge Vervotte ziet het allemaal met lede ogen aan, want het imperialisme van Demotte beperkt zich heus niet tot voedingspreventie alleen. Zo wilde de federale minister het geld van het Tabaksfonds voor zijn federale preventiecampagnes gebruiken, terwijl Vlaanderen een deel van dat geld voor zijn an-tirookcampagnes wou reserveren. De Waalse broeders konden op die manier weer eens uit de nationale federale pot putten om aan tabakspreventie te doen. En anderzijds laten ze tabaksre-clame toe, omwille van de zogezegde commerciële baten (Spa-Francorchamps). Ze beschouwen deze trouwens als een uitslui-tend Waalse materie.

Verder wilde minister Demotte de preventieve gehoortests voor borelingen, die Vlaanderen via *Kind en Gezin* sinds lang met succes organiseert, naar de federale ziekteverzekering versassen. En lees ik in *De Standaard* (23 september 2005): "Na gratis pil, gratis con-doom. Minister Demotte wil jongeren bewust maken van nood aan dubbele bescherming bij het vrijen." Een nobel doel zou de minder aandachtige lezer denken, maar ook hier recupereert Demotte een bevoegdheid die de zijne niet is.

En het houdt niet op. Screenen op darmkanker, nog een initiatief van de Franstalige minister met het sappig mondje Vlaams, werd ons door de strot gejaagd. Vervotte nam de campagne bijna van moeten over.

En tot slot wou Rudy Demotte recentelijk een Hoge Raad voor de Deontologie oprichten en de Orde der Geneesheren weer tot een unitair geheel smeden. De Orde reageerde afwijzend. Maar wie we aanvankelijk steevast niet hoorden was Inge Vervotte. Waarom niet?

Ik stel vast dat minister Demotte elke mogelijkheid aangrijpt om het gezondheidsbeleid, dat als persoonsgebonden aangelegenheid een bevoegdheid van de gemeenschappen is, federaal te recupereren. De bijzondere wet van 8 augustus 1980 die de hervorming van de instellingen regelt, kent inzake het gezondheidsbeleid volgende bevoegdheden aan de gemeenschappen toe: het beleid betreffende de zorgenverstrekking in en buiten de verplegingsinrichtingen (met meerdere uitzonderingen, onder andere de ziekte- en invaliditeitsverzekering), de gezondheidsopvoeding, alsook de activiteiten en diensten op het vlak van de preventieve gezondheidszorg (met uitzondering van de nationale maatregelen inzake profylaxis). Toch neemt minister Demotte te pas en te onpas initiatieven in verband met gezondheidsvoorlichting en preventieve gezondheidszorg. Wil hij de gezondheidszorg herfederaliseren? Lapt hij de grondwet doelbewust aan zijn laars? Schoenmaker Demotte blijf bij je leest! En minister Vervotte: laat de kaas niet van je 'broodje gezond' afsnoepen!

III.

Media, communicatie en politiek in de gezondheidszorg

Wanneer politici zich met wetenschap gaan moeien...

Ik hou niet van politici die onder het mom van de wetenschap een of andere denkpiste lanceren. Doorgaans doen ze dat niet om de wetenschap te dienen, maar om op het juiste moment de media te halen. Daarom herhaal ik dat dit schrift geen wetenschappelijke pretenties nastreeft maar enkel een aantal krijtlijnen trekt die een kader voor een goede gezondheidszorg kunnen bieden. De politici zetten de bakens uit, wetenschappers en experts vullen het geheel in, elk vanuit zijn eigen competentie.

Net als mevrouw Aelvoet dacht ook senator-burgemeester Patrik Vankrunkelsven (VLD'er, huisarts-docent) garen te spinnen bij het zaaien van paniek. Vankrunkelsven achtte het nodig te scoren door de hormonensubstitutie publiekelijk in vraag te stellen. Hormonenpreparaten helpen vrouwen over hun menopauze heen. Ze maken de 'overgang' geleidelijker en remmen onder andere een doorgedreven botontkalking af. De huisarts-burgemeester had dus beter moeten weten. Hormonensubstitutie is een zaak van de patiënte en haar arts. De arts adviseert zijn patiënte in functie van de jongste stand van de wetenschap en houdt rekening met de persoonlijke, objectieve en soms subjectieve noodzaken van de patiënte. De arts informeert de patiënte over de voor- en nadelen van de therapie. Dit is allesbehalve een zaak die politiek geregeld moet worden.

Vankrunkelsven misbruikte zijn gezag als arts en gebruikte de media om zijn eigen populariteit als politicus op te krikken. Dat hij daarmee het principe van de arts-patiëntrelatie ondermijnde, deerde hem niet. De felle tegenwind vanuit het artsenkorps was dan ook terecht, maar het kwaad was geschied. De vrouwen blijven met een hoop vragen en twijfels verweesd achter. De arts kan weer beginnen aan de heropbouw van een beschadigde relatie met zijn patiënte.

Wanneer er geen sprake is van interne communicatie...

In *De Standaard* (6 november 2001) verscheen onder de titel 'Strijdplan tegen de tering' een klein artikeltje. Ik citeer: "Binnenlandse Zaken heeft dokter Luc Beaucourt opgedragen om de problemen rond TBC (tuberculose of longtering) in kaart te brengen. Sedert 1993 is deze ziekte waarvan men dacht dat ze uitgeroeid was, aan een opmars begonnen. Vorig jaar doken in België 1313 nieuwe gevallen op, vooral bij immigranten uit het ex-Oostblok en Afrika."

Binnenlandse Zaken had dus dokter Luc Beaucourt (eerst CVP'er, dan NCD'er, vervolgens VLD'er en nu weet ik het niet meer) onder de arm genomen. De van televisie bekende traumatoloog zou het TBC-probleem aanpakken. Dokter Beaucourt stipte echter zelf aan dat hij geen specialist in tuberculose is maar verzekerde mij dat hij louter als *interface* zou fungeren. Hij zou de juiste mensen zoeken om de besmettelijke ziekte in België aan te pakken. Ik mocht gerust op beide oren slapen.

Acht maanden later blokletterde dezelfde krant 'Gevluchte tbc-lijder achtervolgt politiek'. Alsof dat niet te voorspellen was! Een politiek vluchteling die aan tuberculose leed, was namelijk wéér 'ontsnapt' en bevond zich tussen de bevolking. Eens flink hoesten in een donker cafeetje en een aantal stamgasten zou besmet kunnen zijn. Het eigenaardige aan de hele zaak was dat Binnenlandse Zaken zich acht maanden eerder al met de zaak had ingelaten. Koen Dassen, toenmalig kabinetschef van Binnenlandse Zaken, in een vorig leven baas van de Staatsveiligheid en ei zo na adviseur van minister Dewael, liet mij toen via e-post weten dat als Volksgezondheid het probleem niet aanpakte, Binnenlandse Zaken dan maar initiatief zou nemen. De heer Dassen was blijkbaar op zijn pik getrapt omdat ik de regering verweet niets aan het probleem te doen. In botte bewoordingen gaf hij me te verstaan mij met mijn eigen zaken te bemoeien. Het was voor mij duidelijk dat er tussen Binnenlandse Zaken en Volksgezondheid een slechte of geen communicatie bestond en ik een gevoelige snaar had geraakt.

Frieda Brepoels (N-VA) had lucht gekregen van het feit dat Binnenlandse Zaken zich in allerlei bochten wrong om de zaak op de een of andere manier op te lossen en dit omdat het departement Volksgezondheid zijn verantwoordelijkheid niet opnam. Op drie van haar vier parlementaire vragen aan minister Magda Aelvoet schoof de toenmalige groene minister van Volksgezondheid de zwarte piet naar Binnenlandse Zaken door. Op de vraag of "een fragmentarische aanpak van het gezondheidsbeleid een efficiënt en effectief beleid niet afremt", gaf de minister schoorvoetend toe "dat de complexiteit van het probleem een meer gecoördineerde aanpak van de strategieën rechtvaardigt."

Ondanks alle mooie woorden liep er op dat ogenblik een Georgiër met een open (besmettelijke) TBC vrank en vrij door onze straten. Dokter Viaene van de West-Vlaamse gezondheidsinspectie gaf, volgend op het artikel in *De Standaard,* in een VRT radio-interview de indruk dat het ziekenhuis dat de man behandelde hem liever kwijt dan rijk was. Hij kon gewoon vertrekken en kreeg de passende medicatie mee. Veel tuberculosepatiënten zien echter na een paar weken het nut van een behandeling niet meer in, omdat ze zich snel schijnbaar beter voelen. Bovendien moeten ze gedurende maanden een hoop pillen slikken die nogal wat neveneffecten veroorzaken. De meeste patiënten haken daarom gewoon af als ze niet regelmatig door een arts of gezondheidszorgwerker worden gezien en gemotiveerd. Het gevolg is dat de bacterie weer de kop opsteekt en resistent kan geworden zijn. Elke arts moet dit toch weten. Anderzijds had dokter Ann Aerts overschot van gelijk toen ze op de VRT-radio verklaarde dat een "fluorpaniek" hier niet aan de orde is. Alleen veelvuldig en nauw contact verhoogt het risico van besmetting.

Niettemin bleef dit pingpongspelletje tussen Binnenlandse Zaken en Volksgezondheid duren. De samenwerking, die maanden eerder beloofd was, bleef dode letter. Ondertussen was Aelvoet minister af en Dassen op dat moment de baas van de Belgische Staatsveiligheid. Vijf jaar later lees ik in *De Morgen* (1 juni 2006): "Directie in Kapellen wou opendeurdag niet verstoren" en "Asielcentrum verzwijgt tbc jonge vluchteling". Ook hier is paniek niet op zijn plaats maar tot op vandaag ben ik nog steeds niet op de hoogte van het bestaan van een adequate strategie voor ingeweken tuberculosepatiënten die vaak als illegaal geen of onvoldoende toegang hebben tot de gezondheidszorg.

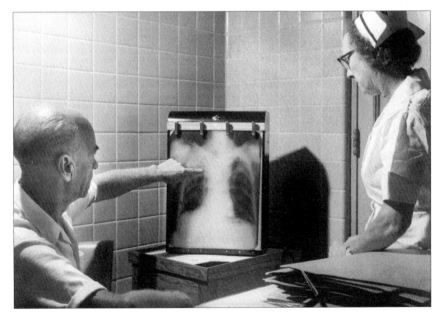

Arts en verpleegster onderzoeken een radiografie van de borstkas van een tuberculosepatiënt

En wanneer er helemaal geen communicatie is...

Ik zou het niet hebben over de taaltoestanden in de Brusselse ziekenhuizen, want wat hebben die nu met gezondheidszorg te maken? Wel, veel. Zeer veel. Wanneer Vlaamse patiënten niet begrepen worden omdat ze Nederlandstalig zijn en dit omdat artsen het vertikken Nederlands te praten, dan is er een probleem. Van gewone mensen kan je niet verwachten dat ze polyglot zijn, artsen daarentegen mogen wat taalvaardiger zijn. Want in een goede arts-patiëntrelatie is communicatie essentieel. En alhoewel ik niet in het verleden leef, durf ik deze Brusselse toestanden vergelijken met wat in de Eerste Wereldoorlog gebeurde toen Franstalige officieren Vlaamse soldaten nodeloos de dood injoegen omdat ze de taal van hun piotten niet kenden. Het gebrek aan een Nederlandstalige MUG-dienst voor Halle en omgeving was een regelrechte schande. De schrijnende verhalen die Mark Demesmaeker (N-VA) daarover op zijn webstek (www.sos-mug.be) verzamelde, illustreren dat het niet om toevallige feiten gaat. Tientallen mensen hadden een verhaal voor hem. Wie beweert dat taal niet meteen iets te maken heeft met gezondheidszorg heeft het mis. Communicatie is een wezenlijk onderdeel van de gezondheidszorg. Als je over empathie praat, over arts-patiëntrelatie, over palliatieve zorg, ... is taal dé hoeksteen van de gezondheidszorg. Maar taal gaat verder dan het Nederlands, het gaat hier ook om de taal die arts en verpleegkundige in hun gesprek met de patiënt hanteren. Artsen mogen dan wel Nederlands praten, vaak begrijpt de patiënt niet waarover het gaat. Een correct, eenvoudig taalgebruik is van belang in de gezondheidszorg zowel van arts tot patiënt als bij de informatiecampagne van de overheid over pakweg griep.

Wanneer drukkingsgroepen zich met wetenschap gaan bemoeien...

De maatschappij is gevoelig voor wat drukkingsgroepen ons via de media onder de neus schuiven. Ze brengen argumenten aan die hun zaak dienen, maar verzuimen vaak het hele verhaal te vertellen. In de heersende mediacultuur waar je hooguit twee minuten krijgt om je ding te doen, kan een journalist nauwelijks kritische vragen stellen.

Zo verscheen in de zomer van 2005 in *Het Laatste Nieuws* een artikel over... mazelenparty's. In volle komkommertijd gesneden brood voor de media. Wat wil het geval? Bepaalde ouders organiseren zogenaamde mazelenfeestjes. Ze laten hun bloedjes niet meer inenten maar brengen ze in contact met 'mazelkinderen' in de hoop dat hun spruiten 'op natuurlijke wijze mazelen krijgen'. Niets aan de hand zul je denken. Ware het niet dat er eigenlijk bijna geen mazelen meer voorkomen in België sinds we alle kinderen doorgedreven inenten. Besluit: een hoop kinderen wordt niet meer gevaccineerd! Hun ouders beseffen blijkbaar niet dat de gevolgen van zo'n infectie voor een kind enorm kunnen zijn. De kruistocht die ze voeren tegen vaccineren is een gril die overgewaaid is uit Nederland waar marginale groeperingen zich al tientallen jaren tegen het vaccineren verzetten. De Leuvense viroloog Marc Van Ranst ging dan ook niet in discussie met deze mensen, maar zei gevat dat deze ouders onverantwoordelijk zijn en aangeklaagd moeten worden voor... onopzettelijke slagen en verwondingen. Woorden die dagen nadien in het laboratorium in Gasthuisberg in Leuven, waar professor Van Ranst en ik toen werkten, nog nazinderden.

Drukkingsgroepen hebben bestaansrecht maar het wordt problematisch wanneer ze overdreven veel aandacht krijgen in de media. Het is aan de journalisten om deze aandacht te herleiden tot hun werkelijke proporties: tot niets dus. Ook de media spelen een belangrijke rol in het gezondheidsdenken van de mens.

Bewustmaking en reclame

Diggy de dermatofyt, zo heet het afgrijselijke beestje dat dagenlang in een reclamespot uw televisiescherm teisterde. Waarna half Vlaanderen dacht dat het scharminkel onder zijn teennagels huisde. Een dermatofyt is een schimmel die inderdaad de teennagels kan aantasten. Maar ook gisten en bacteriën kunnen dat. Hodie Vivere was verantwoordelijk voor de angstaanjagende reclamespot waarvan, na enig speurwerk, de ranzige kantjes duidelijk werden. Niet alleen werd de hele campagne betaald door een farmaceutisch bedrijf (Novartis) dat het aangeprezen middel (Lamisil) aanmaakt, maar bovendien was de boodschap misleidend. Niet alle slechtogende teennagels zijn geïnfecteerd. En dus moeten niet al deze nagels behandeld worden met een duur product. De neveneffecten worden 'gemakshalve' verzwegen. De regelgeving is

Diggy de dermatofyt
© Uit de reclamefolder

nochtans duidelijk als het over reclame voor medicijnen gaat: géén reclame voor geneesmiddelen, behalve ruwweg deze die je zonder voorschrift van de dokter krijgt. Het bedrijf had de zaak goed uitgekiend: enkele weken later maakte hetzelfde farmaceutische bedrijf zonder probleem reclame voor... het zalfje Lamisil (vrij duur, maar zo te krijgen in de apotheek). Als Diggy nu zijn werk deed, mag je er zeker van zijn dat de verkoopcijfers voor Lamisil gigantische proporties aannemen. *Testaankoop* spande een proces in en won het. Nog beter ware echter dat er een totaal verbod op geneesmiddelenreclame komt. Er is werk aan de winkel voor onze Europarlementariërs want in deze beslist Europa voor ons.

IV.

"A health-care system based on primary health care should be organising integrated and seamless care, linking prevention, acute care and chronic care across all components of the health system."

(wijlen Lee Jong-wook in The Lancet)

Vrij vertaald:
"Een gezondheidszorgsysteem gebaseerd op eerstelijnsgezondheidszorg zou een systeem moeten zijn dat preventie, acute zorg en chronische zorg horizontaal doorheen het hele gezondheidszorgsysteem integreert."

De woorden van de in mei 2006 plots overleden directeur-generaal van de Wereld Gezondheidsorganisatie (WGO) parafraserend, kan ik stellen dat België een voorbeeld is van hoe het niet moet. Eigenlijk houdt de grote baas van de WGO een pleidooi voor één geïntegreerde zorg. Eén geheel waar preventie, zorg en curatieve zorgen hand in hand gaan onder de mantel van één gezondheidszorgsysteem, één beleid, één ministerie van Volksgezondheid. Ook in Vlaanderen lijken de geesten rijp voor een Vlaamse gezondheidszorg. Een streven naar homogene bevoegdheidspaketten heet dat in geleerde taal. Zo hield Lieven Annemans, professor Gezondheidseconomie aan de Universiteit Gent en voorzitter van de Vlaamse Gezondheidsraad, onlangs een warm pleidooi voor een Vlaamse Gezondheidszorg. En waarom niet? Vlaanderen scheert met zijn gezondheidszorg hoge toppen. We behoren tot de besten van de wereld, maar we staan nergens als het gaat over het efficiënt gebruik van de middelen. Grosso modo zijn preventie en welzijn een Vlaamse bevoegdheid, maar de rest van de bevoegdheden van de gezondheidszorg zitten nog in handen van federale ministeries. Dat werkt niet. Een voorbeeld. Het Fonds voor Beroepsziekten moedigde alle gezondheidszorgwerkers aan zich tegen hepatitis B te laten inenten. Ondanks het feit dat in principe gezondheidszorgwerkers zowel in Vlaanderen als in Wallonië in aanmerking komen voor dit vaccin, werden meer Vlamingen ingeënt. Vlamingen kiezen ervoor om een ziekte te voorkomen én willen hiermee ook de goedkoopste oplossing. Wallonië niet, het vaccineerde veel minder. Gevolg: meer beroepsziekten ten gevolge van hepatitis B. De behandeling van de ziekte kost handenvol geld en wordt uiteindelijk betaald door Brusselaars, Walen en … Vlamingen. Het geld, dat besteed wordt aan de behandeling van hepatitis B, is uitgegeven en kan elders niet meer worden aangewend. Onrechtstreeks zijn dus andere mensen het slachtoffer van dit Waals verzuim. Niet alleen Vlamingen zijn daarvan overtuigd, ook Franstaligen beginnen dit druppelsgewijs te beseffen. Senator Francis Delpérée (cdH) omschrijft het als volgt : "Il y a des retouches à faire. Voyez la santé. La médecine préventive est communautaire. La médecine curative est fédérale. Cela ne vas pas. Si la Communauté fait des efforts, il y a moins de malades. Qui en profite? Le fédéral. Si la Communauté ne fait rien, le fédéral casque. Ça suscite des tensions. Il faut réunifier ça: tout aux Communautés ou, selon moi, tout au fédéral." (*Le Soir,* 25 februari 2006). Dit is een correcte analyse, alleen deel ik de mening van senator Delpérée niet over de manier hoe hij de zaken zou oplossen.

Dat Vlaanderen een sterkere klemtoon op de preventieve gezondheidszorg legt dan Wallonië spreekt ook uit de in Vlaanderen opgebouwde structuren in de verlenging van het Vlaams ministerie van Welzijn en Gezondheid. Er zijn de Vlaamse Gezondheidsraad (recent opgenomen in de Raad voor Welzijn), de lokale organisaties voor gezondheidsoverleg (Logo's), het Vlaams Instituut voor Gezondheidspromotie. Deze instellingen bestaan niet of nauwelijks in Wallonië. De trendbreuk tussen Vlaanderen en Wallonië is tekenend en komt ook tot uiting in de door Vlaanderen genomen opties zoals de gezondheidsdoelstellingen en het recente kaderdecreet betreffende het preventieve gezondheidsbeleid. Het is duidelijk dat er zich in België langzamerhand een zorggrens aftekent, een scheidingslijn tussen twee visies op gezondheidszorg. Een grens die samenvalt met de taalgrens, de culturele grens tussen Vlaanderen en Wallonië.

Wil minister Demotte inderdaad de gezondheidszorg herfederaliseren, dan lapt hij niet alleen de grondwet aan zijn laars, hij erkent bovendien de zorggrens niet. Een bezorgdheid die niet uit de lucht gegrepen is want het ballonnetje dat Renaud Witmeur in de *Artsen Nieuwsbrief* (17 mei 2006) opliet, laat in deze niets aan de verbeelding over. De kabinetschef van minister Demotte pleitte daarin onomwonden voor een herfederalisering van de gezondheidszorg. Misschien las ook hij de woorden van Lee Jong-wook en interpreteert hij ze naar ouderwetse normen: één Belgisch ministerie van Volksgezondheid. Ik ben het met Demotte en zijn kabinetschef daarover fundamenteel oneens. Voor mij is er maar één niveau: het Vlaamse. Vlaanderen met zijn zes miljoen inwoners kan net als Denemarken, Portugal, Ierland en Oostenrijk een eigen gezondheidszorgsysteem op poten zetten. Wanneer elf lidstaten van de Europese Unie die kleiner zijn dan Vlaanderen het kunnen, dan kan Vlaanderen het ook. In Spanje is de gezondheidszorg trouwens al een regionale bevoegdheid.

Maar waarom slechts één Vlaams niveau? Gezondheidszorg vormt net als taal, cultuur en onderwijs een persoonsgebonden eenheid. Jan de Maeseneer, prof. Huisartsgeneeskunde aan de Gentse universiteit, stelt het als volgt: "De bevoegdheidsverdeling tussen het federale en het Vlaamse niveau leidt niet tot efficiëntie. Het is duidelijk dat de gezondheidszorg in Wallonië anders wordt aangewend dan in Vlaanderen. Daarom moeten de regio's binnen het bestaande solidaire financieringssysteem meer mogelijkheden krijgen om een eigen beleid uit te stippelen. Zelfs Brussel hoeft geen struikelblok te zijn. De Brusselaar zal kiezen, net als in het onderwijs tussen het Vlaams of het Waals systeem."

Naast theoretici hebben ook artsen, ziekenhuisbeheerders en directeurs goede argumenten voor een Vlaamse gezondheidszorg. Ze weten amper nog bij welke minister ze met hun vragen terecht moeten. Het is dan ook niet verwonderlijk dat de koepel van de Vlaamse openbare en Christelijke ziekenhuizen (VAZO) al in november 2004 de splitsing van de gezondheidszorg eiste. Ondanks het protest van de Franstalige ziekenhuizen is bij de Vlaamse ziekenhuisbeheerders een dynamiek ontstaan die niet meer te stoppen is. Ze nemen het niet langer dat door een foute verkaveling van bevoegdheden taken dubbel worden gedaan en andere taken helemaal niet.

Theoretici hebben trouwens een ijzersterk juridisch argument voor een Vlaamse gezondheidszorg: ze staat in de federale grondwet ingeschreven. Maar we weten hoe de huidige paarse meerderheid over de grondwet denkt: een vodje papier!

V.

Het cliché dat er één is

Er bestaan in België twee visies op de gezondheidszorg. Eenvoudig gesteld plaatst de Vlaming de huisarts centraal en de Franstalige het ziekenhuis. Over welke de betere is, wil ik me in eerste instantie niet uitspreken. Mijn persoonlijke visie is gestoeld op documenten zoals de 'Declaration of Alma-Ata' opgesteld door de Wereldgezondheidsorganisatie in 1978. Die verklaring schuift een goede geïntegreerde gezondheidszorg politiek naar voren in het belang van alle mensen. Je kan je dan de vraag stellen hoe je deze invult? Of beter hoe deze al ingevuld is? En als er inderdaad een zorggrens is, dan hebben de twee gemeenschappen elk op hun eigen manier de gezondheidszorg ingevuld. Staat dit ergens beschreven? Ik vrees van niet. Daarom is het goed even te kijken naar de gezondheidszorg in de gemeenschappen.

Een hoofdstuk over de communautaire verschillen in Vlaanderen en Wallonië kan je makkelijk stofferen met de indianenverhalen die de ronde doen. Het verhaal dat directieleden van Franstalige ziekenhuizen hun vette BMW als 'bedrijfswagen' op de lijst naast de ambulances en MUG zetten, heeft het niveau van toogpraat nooit overstegen. Dezelfde stamgasten kan je zeker boeien met het verhaal dat een bepaald Waals ziekenhuis CT-scans neemt van het volledige lichaam van... overleden patiënten. In mijn sector van het ziekenhuislaboratorium wordt verteld dat er ooit één laboratorium was dat, als je het goed uitrekende, álle Chlamydia-infecties in België vond. Alsof er elders geen bestonden. Het zijn die anekdoten met een grond van waarheid die het communautaire verhaal sappig maken, maar waar je geen donder mee op schiet. Ik wil trouwens niet in het cliché vervallen dat 'Walen het slecht doen en Vlamingen het per definitie goed doen'. Zo eenvoudig is het niet. Ik wil wel de breuklijn tussen Vlaanderen en Wallonië, de twee visies op de gezondheidszorg, aantonen. Maar om deze zorggrens te staven moet je met cijfers gewapend zijn. Helaas moet je die echt gaan zoeken. Ze liggen niet voor het grijpen. De ziekenfondsen bezitten schatten aan informatie en je zou je al die moeite kunnen besparen, ware het niet dat ze hun gegevens om één of andere reden angstvallig geheim houden. Mondjesmaat geraakt er soms iets bekend. En als je die informatie ontleedt, merk je dat de taalgrens niet alleen een culturele maar ook een zorggrens is. Ik zet een en ander op een rijtje.

De taarten van minister Demotte

Hoewel de visie over de gezondheidszorg primeert, zou het hypocriet zijn het niet over centen te hebben. Zo beriep minister Demotte zich in De Zevende Dag op cijfers van het RIZIV inzake de uitgaven voor de gezondheidszorg. Het was haast aandoenlijk hoe hij interviewer Siegfried Bracke van zijn gelijk trachtte te overtuigen. Op didactische plaatjes stond een aantal taarten die moesten aantonen dat er in de uitgaven voor gezondheidszorg geen verschil bestaat tussen de verschillende gewesten. Omdat Siegfried Bracke geen kritische vragen stelde, haalde Demotte zijn slag gemakkelijk thuis. Bracke had de minister moeten vragen waarom hij – ondanks het informaticatijdperk – meer dan 20% (!) van de uitgaven niet kan toewijzen. Met andere woorden, één vijfde van de uitgaventaart is foetsie. Iemand nam er een spie uit maar niemand weet wie ze heeft opgesmikkeld.

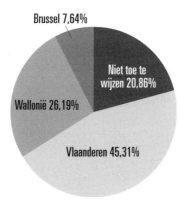

Brussel 7,64%

Niet toe te wijzen 20,86%

Wallonië 26,19%

Vlaanderen 45,31%

De correcte verdeling uitgaven gezondheidszorg (2002)

Bovendien rekent Demotte in percenten en rondt hij graag af. Ik betwist de cijfers die hij gebruikte niet, behalve het verzwijgen van die bewuste 20,86% onverklaarbare uitgaven. Ik zet ze wel voor alle duidelijkheid in absolute cijfers om, in euro dus en niet in %. De uitgaven inzake gezondheidszorg bedragen volgens het RIZIV in 2002 voor Vlaanderen 57,25%, voor Wallonië 33,09%, voor Brussel 9,66%. Wanneer we daar de bevolkingsaantallen tegenover zetten, bemerken we enkele tienden van een % verschil. Respectievelijk: 57,90%, 32,53% en 9,57%. Dit lijkt niet veel, maar wanneer we de berekening in euro per inwoner maken, komen we aan een totale som (de uitgavenkloof tussen Vlaanderen en Wallonië) van 135.384.000 euro. Niet mis dus, die paar tienden van een %.

"Ein Reich, ein Volk, ein Führer"

Ik ga een stapje verder. Eén: In de gezondheidszorg heeft men het niet over de totale bevolking, maar over 'rechthebbenden' (mensen met één of ander inkomen). Twee: Wanneer we bovendien ook nog de zogezegd verdwenen 20,86% uitgaven op dezelfde wijze verdelen, bedraagt de uitgavenkloof Vlaanderen – Wallonië maar liefst 171 miljoen euro.

En drie, als we de uitgavencijfers van minister Demotte verrekenen ten opzichte van de ledentallen van de ziekenfondsen (ook van mensen zonder inkomen) in plaats van de bevolkingscijfers (de cijfers van het rapport-Jadot 1997 worden hiervoor gebruikt bij gebrek aan recentere), dan komt men mogelijk tot het bedrag van 344 miljoen euro. Of niet minder dan 13,855 miljard Belgische franken!

In een opwelling om de journalistieke wereld van deze onjuistheid op de hoogte te brengen, stuurde ik mijn berekeningen naar de pers. Enkele journalisten, waaronder die van de VRT, bedankten me oprecht en daarmee was de kous af. Een journalist van *L' Echo* (een zogezegd

VLAAMS-WAALSE UITGAVENKLOOF BIJ DE TOTALE BEVOLKING
(gewestelijk verdeelde fractie) op basis van CIJFERS R.DEMOTTE JAAR 2002* (publ.: jan 2004)

	Uitgaven*		Bevolking (n inwoners)*		Uitgaven / inw.		Herverdeling uitgaven vlg. inw. %
	Bedrag in 1000 Euro	%	Aantal	%	Bedrag in 1000 Euro	Bij Rijks-gemiddelde =100	Bedrag in 1000 Euro
Vlaanderen	6.403.390	57,25	5.995.553	57,90	1,0680232	98,88	6.476.316
Wallonië	3.701.051	33,09	3.368.250	32,53	1,0988053	101,73	3.638.593
Brussel	1.080.906	9,66	992.041	9,57	1,0895779	100,88	1.070.438
TOTAAL	11.185.347	100,00	10.355.844	100,00	1,0800999	100,00	11.185.347
Onverdeeld**	2.948.490						
EIND-TOTAAL	14.133.837						

** = 20,86%
* = Uitgavenkloof Vl. - W.: (6.476.316 - 6.403.390) + (3.701.051 - 3.638.593)   = 135.384 x 1000 Euro
                                                                                = 135.384.000 Euro
of (57,90 - 57,25) + (33,09 - 32,53) = 1,21% (=uitgavenkloof - sleutel)

Cijfers van het RIZIV, 2002, gebruikt door Rudy Demotte in De Zevende Dag. Wanneer je in plaats van percenten de absolute getallen tegen over elkaar zet (eerste en laatste kolom) en kijkt wat de Waalse Gemeenschap meer uitgeeft en de Vlaamse minder, kom je tot de uitgavenkloof. Wallonië geeft 5,5 miljard Belgische franken meer uit wat Vlaanderen dus minder uitgeeft.

degelijke zakenkrant) antwoordde met de woorden: "Ein Reich, ein Volk, ein Führer". Ik liet de man weten dat zijn onzin elke vorm van communicatie onmogelijk maakt. En ik voegde er aan toe dat een weigering aan Franstalige kant ernstig te praten, aan Vlaamse kant slechts één partij ten goede komt. De partij waar niet mee te praten valt. De man antwoordde niet meer. Een interessantere discussie ontspon zich met Luc Van der Kelen, de politieke commentator van *Het Laatste Nieuws*. Toen ik de taarten van Demotte aanklaagde, antwoordde hij me in een eerste reactie dat voor hem de uitgaven procentueel met de bevolking overeenkomen. Waaruit hij besloot dat er geen transfers zijn. De dag nadien gaf ik hem de hier vermelde cijfers. Van der Kelen reageerde daarop dat hij mijn gegevens nader moest bestuderen alvorens een uitspraak te doen. Een aantal elektronische brieven later bleef hij op zijn standpunt. Het is volgens hem te eenvoudig om te stellen dat de aard van de Waal er een van verspiller is, net zoals het fout is te doen alsof er geen verschillen tussen Antwerpen en West-Vlaanderen bestaan. Waarmee Van der Kelen open deuren instampte. Er leeft inderdaad niet zoiets als de spilzuchtige Waal en de spaarzame Vlaming. En er zijn natuurlijk verschillen binnen Vlaanderen. Maar deze verdoezelen de breuklijn tussen de twee gemeenschappen niet.

Moet de discussie over het bestaan van de transfers nog gevoerd worden? Professor Pierre Pestieau van de Luikse universiteit: "Het is belangrijk dat men beseft dat de problemen rond de transfers niet enkel gebaseerd zijn op structurele en objectieve factoren. Een vierde heeft te maken met culturele factoren. Men moet dat durven toegeven…".

Dokter Wijnen, de vroegere baas van artsensyndicaat BVAS, verwoordde het eenvoudiger: "…er wordt minder gefoefeld in het noorden dan in het zuiden…" De studies van Abafim en de KBC plakken op de transfers concrete bedragen. Alleen in Wallonië bleef men bewust ziende blind. Tot dokter en senator Alain Destexhe (MR) én drie Waalse professoren bevestigden dat de geldtransfers voor Wallonië eerder nefast dan zaligmakend zijn.

Waar zitten die transfers? Vooraf een voorbeeld om aan te tonen hoe we het soms aan onze eigen Vlaamse politici te danken hebben dat er bepaalde transfers bestaan. Het VIPA (Vlaams Investeringsfonds voor Persoonsgebonden Aangelegenheden) is een Vlaams fonds dat wie een rusthuis of ziekenhuis wil bouwen aan centen helpt om de bouw te starten, want het gros van het geld komt nog altijd uit de federale pot. Maar er zit geen geld meer in dat potje. De groene minister Vogels leed namelijk aan een verregaande vorm van verspilzucht, een typisch paars-groene ziekte trouwens. Veel werd besteed aan talloze project-jes zodat er geen geld meer voor het VIPA was. Met als gevolg dat er nu niet meer begonnen kan worden met de bouw van rust- en zieken-huizen. Ondertussen hebben onze Franstalige vrienden nog wél zo'n potje. Goed voor hen. Maar als je weet dat je eerst zo'n reserve als startkapitaal nodig hebt zodat de federale overheid (wij allemaal) de rest (het grootste stuk) kan financieren... Gevolg: Vlaanderen kan geen rusthuizen en ziekenhuizen meer bouwen, Franstalig België wel. Daardoor vloeien nu grote sommen federaal Belgisch en dus ook Vlaams geld naar het Franstalig landsgedeelte. Mede op aangeven van de N-VA paste Inge Vervotte, Vlaams minister voor Welzijn, daar een creatieve mouw aan zodat onze ziekenhuizen en rusthuizen tóch kun-nen bouwen en niet hoeven te wachten op geld van het armlastige VIPA.

Daar is de zorggrens

Ik staar me niet blind op de puur financiële aspecten van de gezond-heidszorg. Dat was ook de teneur van de vlugschriften die ik pro-duceerde in *Humo*, op het internet, in *De Tijd*, *De Standaard*,... Als arts ben ik veel meer geïnteresseerd in de visie op de organisatie van de ge-zondheidszorg. Net zoals eertijds met *Kind & Gezin* tekent zich in de to-tale gezondheidszorg tussen Vlaanderen, Brussel en Wallonië een boei-end verschil af. Wie het uitgavenpatroon bekijkt, merkt dit meteen. Dat wil niet zeggen dat ik hier nog eens de rekening ga maken van wie wat uitgeeft. Neen, maar cijfers zijn ook belangrijk als indicatie voor de richting waar men met de gezondheidszorg heen wil.

Er gaat nu ongeveer 10% van het Bruto Nationaal Product (BNP) naar de gezondheidszorg, dat is zo'n slordige 17 miljard euro per jaar. Het cijfer lijkt gigantisch hoog, maar in de Verenigde Staten van Amerika gaat zo'n 15% van het BNP naar de gezondheidszorg. Eén van de sterke punten van ons gezondheidszorgsysteem is dat die toegankelijk is voor bijna iedereen. In de VS is dat niet zo. Privé-verzekeringen zijn daar gemeengoed. Als Amerikaan onderhandel je met je werkgever over je ziekteverzekering. Toch is het een illusie te denken dat dit in België niet bestaat. Het bekendste voorbeeld is de privé-hospitalisatieverzekering. Sommige bedrijven sluiten ze collectief voor hun werknemers af, andere bedrijven niet. Ik verwacht dat dergelijke verzekeringen in de huidige ziekteverzekering meer en meer zullen binnendringen. Een geneeskunde met twee snelheden staat dus op stapel. Voor zover ze er nog niet is.

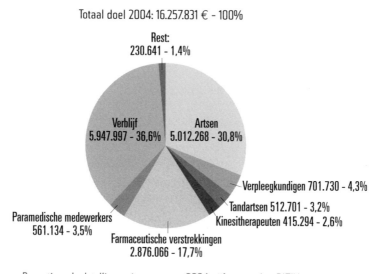

Totaal doel 2004: 16.257.831 € - 100%

Rest:
230.641 - 1,4%

Verblijf
5.947.997 - 36,6%

Artsen
5.012.268 - 30,8%

Verpleegkundigen 701.730 - 4,3%

Tandartsen 512.701 - 3,2%

Kinesitherapeuten 415.294 - 2,6%

Paramedische medewerkers
561.134 - 3,5%

Farmaceutische verstrekkingen
2.876.066 - 17,7%

Begrotingsdoelstellingen in euro voor 2004, cijfers van het RIZIV

Bron: RIZIV - Dienst voor geneeskundige verzorging - Afdeling actuariële studiën

Wetende dat de geneeskunde niet stilstaat, dat we met zijn allen ouder worden en dat het aantal bejaarden almaar toeneemt, moet je je afvragen waar we de centen zullen blijven halen. Daarom moeten we rationeel omspringen met de middelen die we hebben. Dit is niet hetzelfde als blind besparen, het zijn de verkwisters die moeten aangepakt worden. Decennia lang reeds monopoliseren Vlaamse en Franstalige socialisten het departement Sociale Zaken waarin gezondheidszorg het grootste aandeel heeft. Voor de vuist weg: Magda De Galan, Phillippe Moureaux, Laurette Onkelinx, Philippe Busquin, Marcel Colla, Frank Vandenbroucke, Rudy Demotte, ... Allen hebben ze het departement angstvallig afgeschermd van elke mogelijke hervorming en werden verkwisters nooit aangepakt. Een hervorming is nochtans broodnodig, willen we het sociale systeem redden. De situatie is zo onhoudbaar en het Franstalig 'njet' zo vastberaden dat alleen een splitsing van de gezondheidszorg de Vlamingen een solidaire gezondheidszorg kan blijven waarborgen.

Eerlijkheid gebiedt toe te geven dat dit ons alleen de nodige financiële ademruimte voor naar schatting een beperkt aantal jaren kan verzekeren. Ook accentverschuivingen naar meer preventie en meer eerstelijnsgeneeskunde (met herwaardering van de huisarts) zijn niet het ei van Columbus. Het was dan ook terecht dat dokter Marc Moens, voorzitter van artsensyndicaat BVAS, de knuppel in het hoenderhok gooide, toen hij in *Terzake* boudweg stelde dat de privatisering van de gezondheidszorg niet kan uitblijven. Robert *Steve* Stevaert (SP.a) was er als de kippen bij om Moens aan te vallen. In de optiek van Stevaert terecht. Als politicus hield hij de mensen liever dom en onwetend in de trant van 'wat niet weet, niet deert'. De goednieuwsshow van regisseur Stevaert moest in de hoop op electoraal succes, onverdroten doorgaan. Maar of je nu voor of tegen een vorm van privatisering bent, je ontkomt niet aan het maatschappelijk debat erover. Het is niet goed mensen angst aan te jagen, maar het is evenzeer fout ze in slaap te wiegen. De goegemeente moet zich realiseren dat een budgettaire 'zorggrens' is bereikt. Er zullen keuzen moeten worden gemaakt. En al zie ik het pure winstbejag van de verzekeringsinstellingen liever niet in de gezondheidszorg opduiken, toch ben ik realistisch genoeg om te beseffen dat het er al is. Het is aan de overheid om dit gisteren al geregeld te hebben zodat ook hier solidariteit gehandhaafd blijft. De overheid had al veel langer moeten stilstaan bij de vraag of de financiering van de gezondheidszorg enkel uit arbeid moet komen, of waarom die hospitalisatieverzekeringen zo'n succes kennen. Ironie ten top trouwens toen bleek dat een goede week na het bewuste *Terzake*-debat tussen Stevaert en Moens, Guy Verhofstadt een rijkemensen-stent kreeg ingeplant. En dan nog blijven beweren dat er geen geneeskunde met twee snelheden bestaat? Kom nou...

De huisarts is Vlaams, het ziekenhuis Franstalig

De huisarts is de gids die zijn patiënt door het kluwen van de gezondheidszorg leidt. Hij vult de papieren in voor de verzekering, neemt contact op met de thuiszorgwinkel, vertaalt de moeilijke specialistische brief, steekt zijn patiënten een hart onder de riem,... De huisarts is de spil van de gezondheidszorg, althans voor de Vlamingen, 50% van hen heeft een vaste huisarts tegenover 19% van de Walen en 16% van de Brusselaars. In 2002 spendeerde Vlaanderen ongeveer 8% meer aan de goedkopere huisartsgeneeskunde dan Wallonië. Omgekeerd gaf Wallonië in 2002 ongeveer 14% meer aan de duurdere specialistische geneeskunde dan Vlaanderen. Vlamingen kiezen van nature voor de huisarts.

In schril contrast met de rol die de huisarts in Vlaanderen speelt, staat het voorstel van Marie-José Laloy. De PS-senatrice diende een wetsvoorstel in dat de ziekenhuisarts de rol van coördinator van de thuiszorg toekent. Laloy zet daarmee de huisarts buiten spel en bevestigt eigenlijk dat in Franstalig België het ziekenhuis op de huisarts primeert. Dat mag ook blijken uit het uitgavenpatroon in de verschillende gemeenschappen. Volgens gegevens uit studies van de

Christelijke Mutualiteiten, het RIZIV, *Artsenkrant*, *De Huisarts* is het duidelijk: de huisarts is Vlaams en het ziekenhuis Franstalig.

Wallonië kiest ook voor meer medische beeldvorming. Dat maak ik op uit de provinciale cijfers die het RIZIV vrijgaf over de ambulante radiografie (radiografie aangevraagd door de huisarts). Zo gaf West-Vlaanderen in 2002 een gemiddelde van 10,83 euro per inwoner per jaar uit. Voor Namen is dat 22,63 euro. Dit zijn cijfers die aan de verwachtingen beantwoorden. In het gezaghebbend medisch tijdschrift *Spine* publiceerde de Franstalige Brusselse orthopedist Spalski zijn onderzoek bij om en bij de 4.000 mensen. Daarin stelde hij vast dat het voorkomen van lage rugpijn aan taal gebonden is en niets van doen heeft met economische situatie, klasse of arbeid. Wie Frans spreekt, heeft meer last van lage rugpijn. Dit ruikt naar plantrekkerij. In een aanvullende studie verklaarde dokter Spalski trouwens ook waarom in Franstalig België meer radiografieën worden uitgevoerd. Franstaligen klagen meer over lage rugpijn en dus nemen artsen in Franstalig België veel sneller radiografieën van de rug. Iets wat men in Vlaanderen veel minder doet. RX-foto's van de rug bij lage rugpijn zijn daarenboven volgens de jongste wetenschappelijke richtlijnen zelden verantwoord. Ook professor De Vulder (voorzitter van de Belgian Pain Society) bevestigt dat meer Walen aan chronische pijn lijden. Er zijn tot 20,3% meer uitgaven in de radiologie aan Franstalige zijde. En wat misschien nog het meest tot de spreekwoordelijke 'verbeelding' spreekt, is het aantal dure PET-scanners in Franstalig België. Volgens Marc Justaert (de grote baas van de Christelijke Mutualiteiten) is Franstalig België veertien van dergelijke scanners rijk, Vlaanderen vijf. Recentere gegevens uit *Artsenkrant* (15 november 2005) spreken van acht PET-scanners in Vlaanderen waaronder een niet-erkende en elf in Franstalig België waaronder vijf niet-erkende. "Opmerkelijk is dat het Federaal Kenniscentrum minister Demotte op zijn wenken bedient", voegt Chantal De Boevere (journaliste bij *Artsenkrant*) eraan toe. In de Gezondheidswet staat dat alle niet-erkende PET-scanners gesloten kunnen worden. "Maar", zo stelt het Kenniscentrum, "er moet rekening worden gehouden met de geografische spreiding." Dat opent voor Wallonië het zoveelste achterpoortje.

Vlaanderen investeert aanzienlijk meer in thuisverpleging: 20,9% meer uitgaven voor een Vlaams CM-lid dan voor een Waals lid. Blijkbaar leeft de tendens in Vlaanderen om bejaarden zolang mogelijk in hun eigen huis te laten wonen en hen te omringen door de zorgen van huisarts, thuisverzorger, thuisverpleger en kinesist. Het is de formule die de bejaarde verkiest en die veel goedkoper is dan het rusthuis. Op het eerste gezicht kosten thuiszorg en thuisverpleging dus meer in Vlaanderen. Gemakshalve vergeet minister Demotte dat deze mensen dan niet in de duurdere instellingen worden verzorgd. Om een idee te geven van de kost verwijs ik naar een artikel in *De Huisarts* onder de niets verhullende titel 'Comateuze patiënt in RVT/ROB dubbel zo duur als in thuiszorg'. Zelfs Mieke Vogels was zich van het probleem bewust toen ze stelde: "...dan blijkt dat als Vlaanderen plannen heeft rond de thuiszorg, de zaken in Wallonië totaal anders zijn georganiseerd. Wij willen meer via de huisartsen, terwijl ze aan de andere kant wijkgezondheidscentra hebben die door de mutualiteiten worden gestuurd."

Aldus Mieke Vogels die, beter laat dan nooit, beseft dat Vlaanderen het anders doet en wil blijven doen. Het is dan ook pijnlijk te moeten vaststellen dat minister Demotte het in de zomer van 2005 nodig achtte het mes in de thuisverpleging te zetten. Ook de psychiatrie en het beschut-wonen kosten in Vlaanderen 35,9% meer dan in Wallonië. Een reden voor Demotte om ook in de psychiatrische dagcentra te sabelen. Wie in zijn beleid een lijn zoekt, valt het op hoe de minister naast thuisverpleging, palliatieve zorgen, psychiatrische dagcentra nu ook logopedie, kinesitherapie en beschut-wonen aanvalt. Stuk voor stuk typisch Vlaamse prioriteiten! Het debat in het parlement over palliatieve zorgen is volgens álle Vlaamse kamerleden van de commissie Volksgezondheid een van de meest pijnlijke bewijzen dat Vlaanderen en Wallonië anders tegen de organisatie van de gezondheidszorg aankijken.

Minister Demotte wil ook in de hartcentra snoeien. Daarmee zal hij voornamelijk Franstalig België treffen. Daar zijn zeventien volwaardige centra voor 4,5 miljoen inwoners, in Vlaanderen zijn er elf voor 5,5 miljoen inwoners. Maar zoals gewoonlijk is het nog steeds wachten op zijn eerste maatregel terwijl de andere drie Vlaamse besparingsmaatregelen al van kracht zijn. In Franstalig België zijn er ook meer dringendheidshonoraria (spoedvereisende hulp):

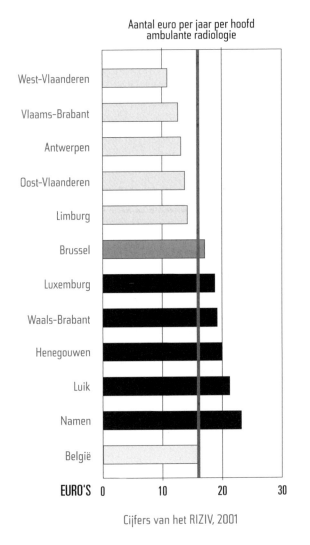

Aantal euro per jaar per hoofd ambulante radiologie

Cijfers van het RIZIV, 2001

28,5% meer uitgaven voor een Waals CM-lid dan voor Vlaams CM-lid. Er is ook meer laboratoriumonderzoek (20% meer uitgaven voor een Waals CM-lid dan voor een Vlaams CM-lid). Inwendige, specialistische geneeskunde kost 26,5% meer in Wallonië, verloskunde 23,7%. In Waalse en Brusselse ziekenhuizen draineren ziekenhuisbeheerders systematisch alle zwangere vrouwen naar de vroedvrouw. De raadplegingen van de vroedvrouwen in het ziekenhuis brengen namelijk meer RIZIV-geld op voor de ziekenhuisbeheerders dan die door de gynaecologen. Waarom kost een Waalse bevalling trouwens meer dan een Vlaamse?

Niet alleen een bevalling is communautair geladen. In *De Huisarts* titelt journalist Geert Verrijken 'Zwangerschapsafbreking in communautair perspectief'. En hij schrijft: "Achtentwintig Franstalige en slechts zes Nederlandstalige centra sloten met het RIZIV een overeenkomst af voor medisch-psychologische begeleiding bij ongewenste zwangerschap. Het kleine aantal Nederlandstalige centra verricht jaarlijks gemiddeld wel 922 verstrekkingen tegenover 218 in de Franstalige centra." Los van de mogelijke kost verbonden aan het aantal centra, schreeuwen deze cijfers om een gerichte maar verschillende aanpak in beide gemeenschappen. Deze zou zowel Franstaligen als Vlamingen veel beter dienen.

Het zijn cijfers die ook gedeeltelijk in het *Warandemanifest* zijn opgenomen. De auteurs van het manifest haalden de mosterd bij de CM, die op haar beurt de uitgaven in de gezondheidszorg bestudeerde voor 2001.

Onlangs botste ik op een nieuwe studie van de CM. Dit keer namen de onderzoekers de uitgaven van 2003 onder de loep. Er werd een nogal ingewikkeld regionaal 'gestandaardiseerd' gemiddelde berekend, één voor Vlaanderen en één voor Wallonië. Met deze afzonderlijke resultaten werden de uitgaven in beide gewesten vergeleken. Zo kan je de verschillen tussen Vlaanderen en Wallonië niet inschatten. En ik wil nu net het verschil in klemtonen tussen Vlaanderen en Wallonië kennen. Trouwens, ondanks hun ingewikkelde berekeningen moeten de onderzoekers toch vaststellen dat Franstalig België blijft kiezen voor meer technische, specialistische, dus duurdere gezondheidszorg en Vlaanderen niet. Zij besluiten dat zelfs na 'standaardisatie' er voor sommige posten grote uitgavenverschillen blijven bestaan. Verschillen die niet langer verklaard kunnen worden door leeftijd, geslacht, voorkeurregeling en sociaal statuut. Cijfers, die de CM vrijgeeft in *CM-Informatie* van juni 2005, leren ons dat er in Vlaanderen, in vergelijking met Wallonië, nog steeds een meeruitgave is voor verpleegdagprijzen in het psychiatrisch ziekenhuis, thuisverpleging en verpleegdagprijzen PVT – Beschut Wonen. In die domeinen geeft Wallonië respectievelijk 21,5%, 18,1% en 37,5% minder uit dan Vlaanderen. Wallonië blijft, in vergelijking met Vlaanderen, meer uitgeven voor technische verstrekkingen zoals klinische biologie (+14,6%), medische beeldvorming (+19,9%), inwendige geneeskunde (+24,5%). Verder scoort ook de maximumfactuur hoger (+27,8%) en worden er buiten het ziekenhuis meer geneesmiddelen verkocht (+18,7%) dan in Vlaanderen. Radiotherapie – nucleaire geneeskunde (+38,7%), dringendheidshonoraria (+23,1%), verlossingen (+16,8%) en kinesitherapie (+10,6%) komen ook in het rijtje 'meerverbruik in Wallonië' voor. Bizar toch dat zelfs kinesitherapie in Wallonië meer kost, terwijl het aantal Vlaamse kinesitherapeuten beperkt moet worden. De conclusie is eenvoudig: ten opzichte van 2001 is er eigenlijk niets essentieel veranderd, er is geen sprake van een trendbreuk. De twee regio's blijven in de gezondheidszorg hun eigen klemtonen leggen.

Deze trend wordt bevestigd door andere studies zoals deze naar preoperatieve onderzoeken. Alvorens een chirurgische ingreep te ondergaan wordt een patiënt grondig onderzocht. De bedoeling is dat hij voldoende gezond wordt bevonden om geopereerd te worden, zodat er zich tijdens de operatie geen problemen voordoen. Volgens de meest recente wetenschappelijke inzichten volstaan 27 euro voor preoperatieve laboratoriumonderzoeken bij patiënten voor appendicitis opgenomen. De gecompliceerde gevallen buiten beschouwing gelaten, geven Wallonië en Brussel respectievelijk 47 en 56 euro uit, Vlaanderen slechts 29 euro (volgens het RIZIV). Deze studie naar preoperatieve tests wordt bevestigd door het Federaal Kenniscentrum. Als het gemiddeld aantal geteste patiënten in België 100 bedraagt, dan is dat voor Wallonië 123, Brussel 135 en Vlaanderen 83. Deze cijfers werden beaamd door de Socialistische Mutualiteiten.

Die verschillen zijn zeer zichtbaar in de rangschikking van ziekenhuizen met de meeste geteste patiënten. De eerste vierentwintig in de lijst liggen alle in Wallonië of Brussel, met als koploper het Centre Hospitalier Universitaire in La Louvière. Het eerste Vlaamse ziekenhuis, het regionaal ziekenhuis Sint-Maria in Halle, komt slechts op de vijfentwintigste plaats. Omgekeerd liggen de vijfendertig ziekenhuizen waar het zuinigst met medische tests wordt omgesprongen, allemaal in Vlaanderen. Het allerzuinigst is het regionaal ziekenhuis Heilig Hart in Leuven.

In Wallonië lopen er minder mensen met een appendix rond. Niet omdat ze zo geboren zijn, maar omdat overijverige artsen die gretig hebben weggesneden.

Wallonië telt 197 appendectomieën per 100.000 inwoners, Vlaanderen 146. Nu mag Wallonië een zogezegde armere regio zijn, sommige zaken kan je gewoon niet door 'armoede' verklaren. In Wallonië worden er voor een appendectomie vier keer meer elektrocardiogrammen genomen dan in Vlaanderen. Een RX- foto van de borstkas wordt bij 47,5 % van de Walen en slechts bij 21,9 % van de Vlamingen genomen. Die verschillen zijn gewoon te groot om ze nog verantwoord te noemen. Vlamingen moeten goed beseffen dat elke overbodige RX-foto geld kost. Wanneer er bespaard moet worden, moeten we die overbodige onderzoeken maar eens op tafel leggen.

Je kunt dus onomwonden stellen dat Franstalig België duidelijk kiest voor het duurdere hospitalo-centristisch model.

Procentuele index: aantal patiënten met preoperatieve onderzoeken

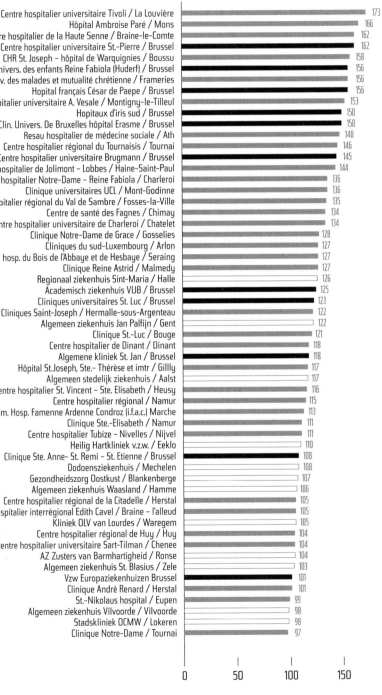

Centre hospitalier universitaire Tivoli / La Louvière	173
Hôpital Ambroise Paré / Mons	166
Centre hospitalier de la Haute Senne / Braine-le-Comte	162
Centre hospitalier universitaire St.-Pierre / Brussel	162
CHR St. Joseph – hôpital de Warquignies / Boussu	158
Hop. Univers. des enfants Reine Fabiola (Huderf) / Brussel	156
Prov. des malades et mutualité chrétienne / Frameries	156
Hopital français César de Paepe / Brussel	156
Centre hospitalier universitaire A. Vesale / Montigny-le-Tilleul	153
Hopitaux d'iris sud / Brussel	150
Clin. Univers. De Bruxelles hôpital Erasme / Brussel	150
Resau hospitalier de médecine sociale / Ath	148
Centre hospitalier régional du Tournaisis / Tournai	146
Centre hospitalier universitaire Brugmann / Brussel	145
Centre hospitalier de Jolimont – Lobbes / Haine-Saint-Paul	144
Centre hospitalier Notre-Dame – Reine Fabiola / Charleroi	136
Clinique universitaires UCL / Mont-Godinne	136
Centre hospitalier régional du Val de Sambre / Fosses-la-Ville	135
Centre de santé des Fagnes / Chimay	134
Centre hospitalier universitaire de Charleroi / Chatelet	134
Clinique Notre-Dame de Grace / Gosselies	128
Cliniques du sud-Luxembourg / Arlon	127
Centre hosp. du Bois de l'Abbaye et de Hesbaye / Seraing	127
Clinique Reine Astrid / Malmedy	127
Regionaal ziekenhuis Sint-Maria / Halle	126
Academisch ziekenhuis VUB / Brussel	125
Cliniques universitaires St. Luc / Brussel	123
Cliniques Saint-Joseph / Hermalle-sous-Argenteau	122
Algemeen ziekenhuis Jan Palfijn / Gent	122
Clinique St.-Luc / Bouge	121
Centre hospitalier de Dinant / Dinant	118
Algemene kliniek St. Jan / Brussel	118
Hôpital St.Joseph, Ste.- Thérèse et imtr / Gillly	117
Algemeen stedelijk ziekenhuis / Aalst	117
Centre hospitalier St. Vincent – Ste. Elisabeth / Heusy	116
Centre hospitalier régional / Namur	115
Intercom. Hosp. Famenne Ardenne Condroz (i.f.a.c.) Marche	113
Clinique Ste.-Elisabeth / Namur	111
Centre hospitalier Tubize – Nivelles / Nijvel	111
Heilig Hartkliniek v.z.w. / Eeklo	110
Clinique Ste. Anne- St. Remi – St. Etienne / Brussel	108
Dodoensziekenhuis / Mechelen	108
Gezondheidszorg Oostkust / Blankenberge	107
Algemeen ziekenhuis Waasland / Hamme	106
Centre hospitalier régional de la Citadelle / Herstal	105
Centre hospitalier interrégional Edith Cavel / Braine – l'alleud	105
Kliniek OLV van Lourdes / Waregem	105
Centre hospitalier régional de Huy / Huy	104
Centre hospitalier universitaire Sart-Tilman / Chenee	104
AZ Zusters van Barmhartigheid / Ronse	104
Algemeen ziekenhuis St. Blasius / Zele	103
Vzw Europaziekenhuizen Brussel	101
Clinique André Renard / Herstal	101
St.-Nikolaus hospital / Eupen	99
Algemeen ziekenhuis Vilvoorde / Vilvoorde	98
Stadskliniek OCMW / Lokeren	98
Clinique Notre-Dame / Tournai	97

0   50   100   150

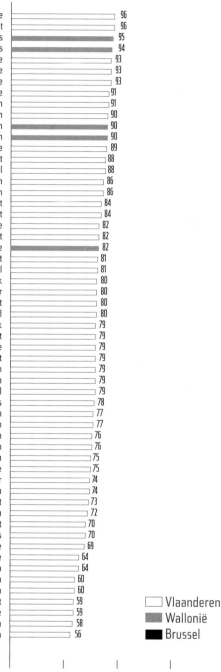

Ziekenhuis Maas en Kempen vzw / Bree	96
Universitair ziekenhuis / Gent	96
Clinique Saint Pierre / Ottignies	95
Centre hospitalier Peltzer - La Tourelle / Verviers	94
Ziekenhuis Henry Serruys / Oostende	93
Algemeen ziekenhuis St. -Jan / Brugge	93
Auroraziekenhuis / Oudenaarde	93
Onze-Lieve-Vrouw Ziekenhuis / Asse	91
Algemeen ziekenhuis St.-Elisabeth / Zottegem	91
St.-Jozefkliniek / Bornem	90
Centre hospitalier de Mouscron / Mouscron	90
Klinik St.-Josef / Sankt-vith	90
Elisabeth ziekenhuis / Sijsele	89
St.-Andriesziekenhuis / Tielt	88
Algemeen ziekenhuis St.-Dimpna / Geel	88
Universitair ziekenhuis Antwerpen / Edegem	86
Imelda ziekenhuis / Bonheiden	86
Algemeen ziekenhuis Heilige Familie / Reet	84
Algemeen ziekenhuis Salvator - St. Ursula / Hasselt	84
K.g.w. St. - Augustinus / Veurne	82
Algemeen ziekenhuis Diest / Diest	82
Centre hospitalier de l'Ardenne / Saint-ode	82
St. Rembertziekenhuis vzw / Torhout	81
Algemeen ziekenhuis St. Maarten / Duffel	81
Ziekenhuis Oost-Limburg / Genk	80
Heilig Hart ziekenhuis vzw / Lier	80
AZ Maria Middelares - St. Jozef vzw / Gent	80
Maraziekenhuis Noord-Limburg / Lommel	80
Algemeen ziekenhuis Groeninge / Kortrijk	79
Algemeen ziekenhuis St. Lucas / Gent	79
Algemeen ziekenhuis St. Lucas / Brugge	79
Algemeen ziekenhuis Klina / Brasschaat	79
Heilig Hartziekenhuis vzw / Menen	79
Monica vzw / Antwerpen	79
Heilig Hartziekenhuis / Mol	79
Algemeen ziekenhuis Maria Middelares / Beveren-Waas	78
Algemeen centrumziekenhuis Antwerpen / Antwerpen	77
Algemeen ziekenhuis Middelheim / Antwerpen	77
St. Franciscusziekenhuis / Heusden	76
St.-Jozefskliniek vzw / Izegem	76
Algemeen ziekenhuis Jan Palfijn / Merksem	75
Algemeen ziekenhuis Damiaan / Oostende	75
Regionaal ziekenhuis Jan Yperman / Ieper	74
Algemeen ziekenhuis St.-Augustinus / Antwerpen	74
St.-Elisabethziekenhuis / Turnhout	73
VZW algemeen ziekenhuis H. Hart / Tienen	72
Virga Jesse ziekenhuis / Hasselt	70
Algemeen ziekenhuis St. -Elisabeth / Herenthals	70
Algemeen ziekenhuis St. -Jozef / Malle	69
Stedelijk Ziekenhuis / Roeselare	64
Algemeen ziekenhuis Vesalius / Tongeren	64
Universitaire ziekenhuizen KUL / Leuven	60
Regionaal ziekenhuis St. -Trudo / Sint-Truiden	60
Algemeen ziekenhuis St.-Jozef / Turnhout	59
St.-Vincentiusziekenhuis / Deinze	59
St.-Vincentiusziekenhuis vzw / Antwerpen	58
Regionaal ziekenhuis Heilig Hart / Leuven	56

☐ Vlaanderen
▨ Wallonië
■ Brussel

0   50   100   150

Wie Frans spreekt, slikt meer

Een Belg besteedt jaarlijks ongeveer 333 euro aan geneesmiddelen en haalt daarmee in Europa brons. Het verbruik van geneesmiddelen in Wallonië ligt 18,3% hoger dan in Vlaanderen. Dit verbaast me niet. Al in 2001 publiceerde *De Nieuwe Gazet* 'Grootste pillenslikkers wonen over de taalgrens'. De cijfers van de Socialistische Mutualiteiten over het geneesmiddelenverbruik in België waren onthutsend. In een aanschouwelijke grafiek zette journalist Luc Van der Kelen de gemiddelde RIZIV-kost van geneesmiddelen voor het hartvaatstelsel en het zenuwstelsel per provincie uiteen. "In Wallonië heeft men precies meer last van de zenuwen", merkte Van der Kelen verbaasd op. Voor zenuwziekten liggen de uitgaven in de Waalse provincies inderdaad stukken hoger dan in de Vlaamse. Een Vlaamse huisarts schrijft gemiddeld voor 5 tot 6 euro zenuwpillen per patiënt voor, in Wallonië ligt dat cijfer tussen de 8 tot 10 euro. Cijfers die begin 2006 door senator Beke (CD&V) werden bevestigd. Vlamingen slikken 16 antidepressiva per jaar, Walen 24 per jaar. Voor de hartziekten zijn de cijfers nog spectaculairder. Luik en Henegouwen verbruiken het dubbele van Limburg. De cijfers van de Algemene Pharmaceutische Bond wijzen in dezelfde richting. Er is een duidelijke breuklijn te zien in de arrondissementele apotheekomzetten. Die breuklijn valt eens te meer samen met de taalgrens.

De cijfers over het antibioticagebruik in Franstalig België worden als dusdanig niet vrijgegeven, ze zouden volgens ingewijden 'een bom' betekenen. Toch kon *Artsenkrant* achterhalen dat er 30% meer antibiotica geslikt wordt in Franstalig België. Een studie van de Vlaamse Gemeenschap noteerde trouwens dat er in Wallonië veel meer resistente bacteriën (*Enterobacter aerogenes*) zijn dan in Vlaanderen. Dit wijst inderdaad op een overmatig antibioticagebruik in het zuiden van het land. Een uitleg die het hoger aantal MRSA's verklaart. Een vertrouwelijk telefoontje met een ambtenaar die zich heeft op

De gemiddelde omzetten van de apotheken per arrondissement

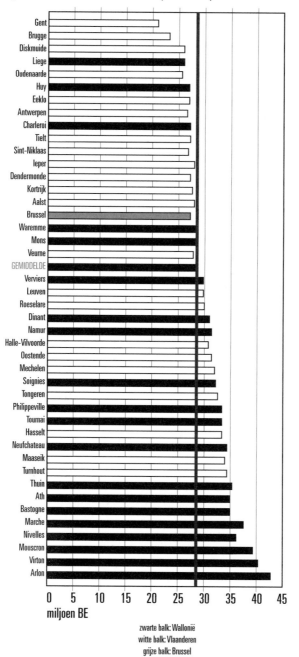

zwarte balk: Wallonië
witte balk: Vlaanderen
grijze balk: Brussel

Gegevens van Farma 2002, Algemene Pharmaceutische Bond

het antibioticaverbruik leerde me dat de provinciale rangorde in antibioticaverbruik er als volgt uitziet: op 1 prijkt Namen, op de voet
gevolgd door Luik en Henegouwen. Sinds 1998 bekleedt Limburg
de vierde plaats, op vijf staat Waals-Brabant, op zes Vlaams-Brabant.
West- en Oost-Vlaanderen gaan Luxemburg, dat een Waals buiten-
beentje is, vooraf. Hekkensluiter is Antwerpen.

Dit gedrag is naast een budgettaire strop ook een probleem voor
de toekomst. Door het overmatig gebruik van antibiotica creëer je
als het ware superresistente bacteriën. Op den duur is geen enkel
antibioticum nog werkzaam. De tijdbom tikt en ondanks waarschu-
wingen van vele wetenschappers tekent de toekomst zich duidelijk
af: superresistente bacteriën zullen er voor zorgen dat we straks
weer sterven aan een 'banale' infectie. Oneigenlijk gebruik van
antibiotica in de zorgsector is nefast voor de volksgezondheid en
legt een hypotheek op de gezondheid van onze kinderen en kleinkinderen. We kunnen het hoofd bieden aan deze problemen door te
zorgen dat de productie van oude antibiotica die nog steeds bruik-
baar zijn, wordt gewaarborgd. En dat nieuwe antibiotica niet zomaar
vanuit de eerste lijn kunnen voorgeschreven worden. Veelvuldig gebruik ervan werkt resistentie in de hand. Regelmatige publieke
campagnes blijven noodzakelijk. Het succesnummer inzake de beperking van het 'preventief' gebruik van antibiotica in chirurgie
moet worden gehandhaafd én uitgebreid. In de heelkunde handelt
men namelijk volgens het principe dat niemand (financieel) beter
wordt door het extra voorschrijven van antibiotica. De budgetten
en de indicaties wanneer men antibiotica gebruikt, liggen daar min
of meer vast, zodat het zelfs (financieel) voordeliger is geen antibiotica voor te schrijven.

Ook de farmaceutische industrie moet haar verantwoordelijkheid nemen en haar budget voor pure marketing beperken.
Daarom moet het aantal farmaceutische artsenbezoekers zowel bij
artsen als straks bij apothekers verminderen. De gehanteerde
norm moet de Nederlandse zijn. De hoog opgeleide werknemers

die aldus vrijkomen kunnen hun professionele weg vinden in Onderzoek en Ontwikkeling. Een sector die ook van overheidswege meer investeringen verdient. De overheid moet de farmaceutische industrie als werkgever erkennen en naar waarde schatten. Veel van dat onderzoek, hét paradepaardje van de farmaceutische industrie, gebeurt trouwens in Rixensart. Glaxo investeert er miljarden in onderzoek. Er werken ongeveer 4.000 mensen. Helaas zijn de loonkosten in België torenhoog. Enkele talentvolle managers en onderzoekers houden het bedrijf in hartje Waals-Brabant. Mochten die sleutelfiguren uit Rixensart verdwijnen, kan je zo voorspellen dat het bedrijf daar wegtrekt. Dan verliest Franstalig België één van zijn top-5 bedrijven, alle Marshallplannen ten spijt.

Aan de ene kant is de gezondheidszorg geen vrije markt waar het kapitalisme ongebreideld zijn gang gaat, aan de andere kant mogen investeringen en het verschaffen van werkgelegenheid en innovatie beloond worden.

Vlaanderen sluit voor wat betreft antibioticabeleid nauwer aan bij Nederland. Niettemin heeft ook Vlaanderen nog een zéér lange weg af te leggen eer het de Nederlandse antibioticastrategie benadert. Daarom is het belangrijk om weten wat buiten onze grenzen gebeurt. Hoe noordelijker in Europa, hoe minder antibioticaverbruik en hoe minder bestand de bacteriën zijn. Hoe zuidelijker, hoe omvangrijker het probleem. Zo kent Franstalig België een groter resistentieprobleem dan Vlaanderen.

Het is duidelijk dat pillen slikken in het algemeen en antibioticaverbruik in het bijzonder een Europees probleem is. Daarom moet 'Europa' dit vraagstuk aanpakken. Vlaanderen kan hierin gangmaker zijn.

Moeten er nog verschillen zijn?

In Vlaanderen zijn er meer daghospitalisaties. Een daghospitalisatie is goedkoop. De patiënt blijft, als zijn toestand na een ingreep dit toelaat, slechts één dag in het ziekenhuis. Blijkbaar hanteert alleen Vlaanderen deze goedkopere vorm van hospitaliseren. Franstalig België moet de formule nog ontdekken, als men ze wil ontdekken! Of om het verschil in cijfers te zeggen: het aantal goedkopere daghospitalisaties bedraagt in Vlaanderen tussen 19 en 25% van het totaal aantal hospitalisaties. In Wallonië ligt dat tussen 8 en 17%. Omgekeerd kosten gewone hospitalisaties (van meerdere dagen) aanzienlijk meer in Franstalig België. De duurste kamers betaal je in de Brusselse ziekenhuizen, de goedkoopste in Limburg, West- en Oost-Vlaanderen.

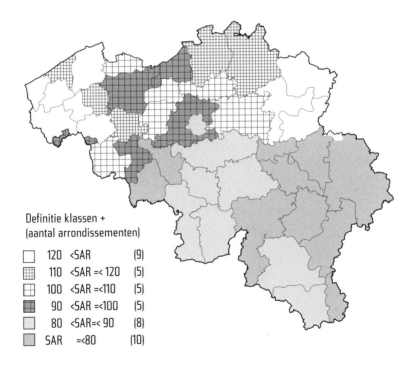

Definitie klassen +
(aantal arrondissementen)

☐ 120 <SAR (9)
▦ 110 <SAR =< 120 (5)
⊞ 100 <SAR =<110 (5)
▨ 90 <SAR =<100 (5)
☐ 80 <SAR=< 90 (8)
▨ SAR =<80 (10)

Daghospitalisaties in Vlaanderen zijn ingeburgerd
Wallonië moet ze nog ontdekken
MKG gegevens 1988

Geert Verrijken, journalist bij *De Huisarts*, titelde net voor kerst-mis 2003: 'Hoger ereloon huisbezoek herwaardeert vooral Waalse huisarts'. Artsenleider Marc Moens was niet gelukkig met het arti-kel. Nu had hij eens iets positief voor de huisartsen gerealiseerd en was het weer niet goed... Ik geloof dokter Moens op zijn woord als hij zegt niet te hebben stilgestaan bij de communautaire angel die in die specifieke herwaardering zit. Maar met al zijn ervaring had hij beter moeten weten: álles in dit land is communautair getint. Waalse huisartsen zien namelijk merkelijk minder patiënten (5,9) per dag dan hun Vlaamse collega's (9,6). Een Vlaamse huisarts legt per dag ongeveer 6,6 huisbezoeken af, een Waalse 6,1. Proportioneel gaat een Waalse huisarts dus vaker op huisbezoek. Dat terwijl er een wetenschappelijke consensus is om meer patiënten in het dokterska-binet te zien, waar de zorgen beter zijn. Het argument dat Waalse huisartsen verder van hun patiënten wonen, houdt geen steek. Er zijn proportioneel meer Franstalige artsen en in andere landen wonen patiënten ook ver van hun huisarts zonder dat dit het aantal huisbezoeken omhoog drijft. Daarenboven komen de meeste huisbe-zoeken voor in stedelijk gebied. Van alle dokterscontacten situeren 46% zich in het Waals gewest tegenover 31% in Vlaanderen. In semi-stedelijk gebied: 38% versus 33%, op het platteland 31% tegenover 38%. Dé reden daarvoor is dat huisbezoeken meer lonend zijn. Dit wordt trouwens bevestigd door cijfers van de provincie Henegouwen. Daar wordt naast het frequentere huisartsenbezoek ook een veel-vuldiger specialistisch consult waargenomen: 2,16 in Henegouwen tegenover 1,97 Belgisch gemiddelde.

In 1999 kreeg de Franstalige arts van PS-signatuur Michel Jadot de opdracht om jaarlijks een rapport te schrijven dat tekst en uitleg verschaft bij die zogenaamde transfers van Vlaanderen naar Wallonië en Brussel. De Jadot-rapporten zijn ondertussen een begrip gewor-den. Naast een boel cijfers, zoals de appendectomieën, leren ze dat de medische kost varieert naargelang je Limburger, Brusselaar of Ant-werpenaar bent. Limburgers zijn de goedkoopste, zij kosten slechts

91% van de gemiddelde kost aan gezondheidszorg. Communautair lees ik verder dat een Vlaming 95% en een Brusselaar maar liefst 115% kost. Je kan die lijn netjes doortrekken. Wallonië en Brussel geven, aldus Jadot, bakken meer uit aan residentiële en ziekenhuiszorgen. Vlaanderen tracht het zuiniger thuis op te lossen. In Vlaanderen kost, als 100 de gemiddelde kostprijs is, de thuisverpleging 115, in Wallonië 89 en in Brussel 42. De rustoorden voor bejaarden respectievelijk 88 in Vlaanderen, 108 in Wallonië en 151 in Brussel. Nierdialyse kost in Brussel 134, in Wallonië 100 en in Vlaanderen 95. De klinische biologie ligt in dezelfde lijn: 89, 113 en 124 voor respectievelijk Vlaanderen, Wallonië en Brussel. Jadot haalt vele redenen aan om dit te verklaren. Van economisch tot geografisch, van leeftijd tot huisvesting. Hij negeert echter een andere culturele achtergrond. Voor Jadot zijn er geen Vlamingen of Franstaligen. Hij is blind voor de zorggrens. Daarom zijn de rapporten van Jadot zo controversieel.

In een geanimeerde, publieke discussie tussen wijlen vriend Robert de Beule (pneumoloog en oud-voorzitter van het Vlaams Geneeskundigenverbond) en dokter Jan Remans (VLD), trokken beiden de cijfers van Jadot in twijfel. Jadot zou de cijfers voor Franstalig België verbloemen. De Beule beweerde zelfs dat de cijfers van Jadot in het nadeel van Vlaanderen... vervalst waren. Remans antwoordde ietwat cynisch dat hij liever 'verwerkt' dan 'vervalst' hoort. En dit tot grote hilariteit van het aandachtige publiek.

Dé communautaire correctie!

Dokter Jan Remans (VLD) stelt in zijn boek *De hemel op aarde?* dat dit land een cultureel schisma kent. Vlaanderen en Wallonië zijn twee culturele entiteiten en dat weerspiegelt zich in de gezondheidszorg. Hij schrijft: "Wallonië kent minder preventie in zijn cultuur. (...) Dit culturele verschil blijkt ook te bestaan bij de zorgverstrekkers.

Dit wordt bewezen door de cijfers van de klinische biologie. In Wallonië en Brussel ligt het consumptiepatroon duidelijk hoger dan in Vlaanderen. Deze verschillen liggen aan de basis van effectieve transfers van het Vlaamse naar het Waalse Gewest. Uit diverse studies blijkt dat het jaarlijks om circa 5 miljard euro gaat, waarvan ruim de helft via de sociale zekerheid."

In verkiezingstijden hoor je her en der wat stoere taal. Dat zijn we gewoon. De klinische biologie is dan ook vaak voorwerp van communautaire stoerdoenerij. Ook Frank Vandenbroucke (SP.a) en Karel De Gucht (VLD) vonden, in de aanloop naar de verkiezingen van 2003, dat ze ook eens een Vlaamse vuist mochten maken. "De Vlaamse ziekenhuizen krijgen gedeeltelijk wat ze al twintig jaar vragen: een evenwichtiger verdeling van het geld voor de klinische biologie: een rechtzetting van de communautaire scheeftrekkingen in die symboolsector." Aldus *De Standaard* (28 mei 2002). Driewerf hoera! Vandenbroucke mocht namelijk bij gratie van de Franstalige specialisten (en de PS) 4,8 miljoen euro aan de Vlaamse ziekenhuizen terugschenken.

Iets meer dan een week later werd de minister van Sociale Zaken teruggefloten. Hij creëert (onder zachte PS-dwang) een 'B8' in de ziekenhuisfinanciering, een communautaire bommenwerper. Waarom deze krijgshaftige vergelijking? De ziekenhuisfinanciering is opgedeeld in verschillende stukken. De investeringen vallen onder de zogenaamde A1- financiering. De zware apparatuur zoals de NMR-scanner (waar er ook relatief te veel van staan in Franstalig België), valt onder het luikje A4. De apotheek wordt bijvoorbeeld gefinancierd via de B4. En de universitaire ziekenhuizen ontvangen, bij wijze van voorbeeld, een extraatje door een recentelijk gecreëerde B7. Vandenbroucke schudde nu dus een B8 uit zijn mouw. Zo wordt namelijk een extra bedrag voorzien voor de ziekenhuizen met 'een moeilijk publiek'. Het meest opvallende daarbij is dat alléén Franstalige ziekenhuizen in de zogenaamde objectieve database van Vandenbroucke voorkomen. De minister 'vergat' Stuivenberg (Antwerpen).

Wanneer vervolgens een storm van protest vanuit de gehele genees-kundige sector opsteekt, blijkt zijn objectieve database 'een foutje' te hebben gemaakt. In allerijl verklaart de minister dat ook Stuiven-berg een moeilijk publiek bereikt. De waarheid achter dit verhaal is echter pijnlijk duidelijk: de 4,8 miljoen euro die eerder aan de Vlaamse ziekenhuizen geschonken werden, moeten nu dubbel en dik worden opgehoest door dezelfde Vlaamse ziekenhuizen ten voordele van de Franstalige ziekenhuizen.

Niettemin gaat Vandenbroucke door op zijn 'Vlaams' elan. Naar aanleiding van de betoging van 14 december 2002 merkte hij in het radioprogramma *Voor De Dag* op dat hij weet dat de Franstalige art-sen vaker duurdere technische onderzoeken en meer antibiotica voorschrijven. Daarom, voegt hij eraan toe, moeten de Vlaamse artsen hun Franstalige collega's maar overtuigen dat minder te doen...Trots zegt VDB er in één adem bij dat er een verhoging van het budget met 6% aankomt en dit alleen voor de artsenhonoraria. Hoe de artsen dit moeten verdelen is hun zaak, zegt Vandenbroucke. Wie dacht dat de minister voor één keer een keuze zou maken voor de huisarts of voor de herwaardering van de intellectuele act, zit er volledig naast. In de geneeskunde wordt alles wat te maken heeft met technische onderzoeken (zoals chirurgische ingrepen, medische beeldvorming, hartkatheterisatie, …) goed betaald, alles wat neerkomt op pakweg consultaties (en de job van huisarts) veel minder. De 6% verhoging was dé opportuniteit voor VDB om het verschil tussen de zoge-naamde technische prestaties en de intellectuele act wat bij te sturen, maar Vandenbroucke mag blijkbaar geen keuzes maken (van de PS). Want wanneer de 6% bijvoorbeeld hoofdzakelijk naar de huisartsen zou gaan, dan zou dat ten nadele van Wallonië zijn. En dat kan niet! Ondertussen zit Vandenbroucke netjes opgeborgen in de Vlaamse regering als minister van Onderwijs. Hij was blijkbaar een iets te vervelende luis in de pels van Elio Di Rupo. Het vervolg van het verhaal is genoegzaam bekend. Di Rupo benoemde camarade Rudy Demotte tot minister van Sociale Zaken én Volksgezondheid. Hij kreeg daarenboven volmachten zodat hij zonder het parlement kan regeren.

Maar Vandenbroucke zou Vandenbroucke niet zijn als hij niet nog eens zijn ongenoegen over de gang van zaken in de gezondheidszorg zou laten blijken. Zijn snedige open brief gepubliceerd in *De Tijd* en *De Standaard* (3 januari 2004) zorgde ervoor dat Stevaert hals over kop Cuba verliet om hier te lande de rode gemoederen te bedaren. Het werd VDB niet in dank afgenomen. Want wat Lourdes voor de katholiek is, is Cuba voor de socialist. Stevaert besefte nochtans dat, nu VDB de gezondheidszorg niet meer mocht bespelen, een andere socialist dit moest doen. Hij besloot uiteindelijk het laken naar zich toe te trekken en gaf een schot voor de boeg: "Welke medische ingreep ook, hij moet overal evenveel kosten. Of het nu om Charleroi, Brussel of Hasselt gaat." Demotte voelde dat het Stevaert menens was en kondigde aan dat tegen medio 2005 voor 16 ingrepen het prijskaartje overal evenveel zou bedragen. Meer dan een jaar later staan we nog nergens. Demotte bespaart door van alle laboratoria en diensten 'beeldvorming' geld terug te vorderen. Overal evenveel, of je nu zuinig werkt of verkwist. Mijn logische voorstel om de verkwisters meer te laten besparen en zij die zuinig werken minder, werd nooit in overweging genomen.

Tot communautair slot... over solidariteit en mutualiteit

Dat Vlaanderen en Wallonië voor een andere gezondheidszorg kiezen, wordt in hoge mate cultureel bepaald. Zo wil Vlaanderen onder andere een volwaardige eerstelijnsgeneeskunde met een competente huisarts als spil, Wallonië kiest voor het duurdere 'hospitalocentrisch' model. Bovendien zijn de ziekenhuizen in Vlaanderen (financieel) gezonder, onder andere omdat er bij ons minder (politiek bestuurde) openbare ziekenhuizen zijn. Tot die conclusie kwam Frank Lierman (Dexia) in *Knack* (24 augustus 2005). De optelsom van

75

Vlaanderen en Wallonië is niet België. Vlaanderen en Wallonië zijn twee aparte entiteiten. Per definitie is België hier dus niet meer aan de orde.

Solidariteit tussen de twee regio's staat niet ter discussie zolang deze gebeurt op basis van een open boekhouding. Als Wallonië een armere regio is, verdient deze regio meer steun. Dat is wat Vlaanderen trouwens al decennia lang doet: een op het eerste zicht armere regio steunen. Elk jaar vertrekken twaalf lichte vrachtwagens, vol 50 eurobiljetten, van Vlaanderen naar Wallonië. Het moet trouwens ook opvallen dat vrijwel geen enkele Vlaming ooit het principe van de solidariteit met Wallonië in vraag heeft gesteld. Wat Vlamingen willen is transparantie van de transfers. Zo moet er bijvoorbeeld dringend klaarheid komen in een affaire waarbij, nu ongeveer een vijftiental jaar geleden, 30 tot 40 miljard Belgische franken richting socialistische ziekenfondsen zijn verdwenen zonder dat deze verantwoord konden worden. De bewuste ziekenfondsen werden veroordeeld en experts zouden de verdwenen miljarden opsporen. De experts werden... nooit aangesteld. Kwatongen beweren dat de miljarden naar Franstalig België vloeiden.

Solidariteit, ver of dichtbij, staat niet ter discussie

In *Artsenkrant* verscheen ooit een klein artikel 'Solidariteit met Wallonië'. Daarin schreef dokter, tevens taalkundige, Miles: "Vlaanderen is -gaarne of ongaarne- solidair met Wallonië, en dat merk je ook aan het woordgebruik. Wij Vlamingen zijn zelfs in die mate solidair dat we van de Walen de woorden overnemen om solidariteit te benoemen. We hebben het dan over mutualiteiten en afgeleiden en vergeten dat er geijkte Nederlandse woorden bestaan om precies hetzelfde te zeggen." "Het Taalunieversum schrijft over mutualiteit dat het alleen gangbaar is in Belgisch Nederlands. Alle Nederlandstalige taalboeken, onder andere het Stijlboek van *De Standaard* en van de VRT, keuren mutualiteit zonder meer af." "Christelijk, Liberaal, Socialistisch Ziekenfonds... het klinkt even goed of zelfs beter dan mutualiteit en het is een woord uit onze taal. Laten we, toch wat het woord betreft, de solidariteit met Wallonië stopzetten."

Out of the blue zorgden dokter Destexhe (MR) en drie Waalse professoren ervoor dat Wallonië op zijn grondvesten daverde. Voor hen is de diagnose duidelijk: Wallonië verkeert in een comateuze toestand en de PS is als het ware het *Valium* voor het Waalse volk. De krant *L'Echo* (19 mei 2005) titelde: "Trois économistes au chevet de la Wallonie."

Professor Boudewijn van Houdenhove concludeerde in *The Lancet* (9 juni 2001): "Walloons are more oriented – culturally as well as scientifically – to France, whereas Flemish people are on the same wavelength as countries with Anglo-Saxon culture and science. Consequently, Walloon and Flemish patients and doctors use different labels to communicate about distress and ill health. This labelling process is strongly mediated by the media but, interestingly, a new phenomenon is that the patients and their self-help associations actively participate in this process."

Een gezondheidszorg moet nauw aansluiten bij een volk en zijn cultuur. Maar elk systeem zit ook ingebed in een wereldwijd netwerk van internationale organisaties, internationale richtlijnen, internationale consensus, Europese richtlijnen,... Zij bepalen mee onze gezondheidszorg. Ook hier moet het principe van de subsidiariteit ten volle spelen. Wat zo dicht mogelijk bij de mensen georganiseerd kan worden, moet ook daar gebeuren. Wat beter op een hoger niveau kan, omdat de basis het wil, moet op dat hoger niveau zijn beslag krijgen.

In *The Lancet* (maart 1997) schreef Durand de Bousingen een artikel met als titel 'Belgium faces health-insurance split in 1999'. De gezondheidszorg in België is tot op heden een verscheurd en verkaveld niemandsland. Misschien biedt de toekomst meer hoop op een Vlaamse gezondheidszorg.

VI.

In België is er van alles veel te veel

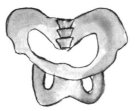

In Frankrijk mogen per jaar 3.700 studenten geneeskunde afstuderen. Als je dat aantal naar België omrekent, zouden hier per jaar slechts 615 studenten geneeskunde hun doktersdiploma mogen halen.

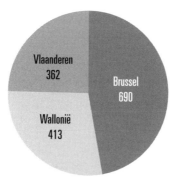

Aantal artsen per 100.000 inwoners in 2002

In 2002 waren er 450, 440 en 390 artsen per 100.000 inwoners voor respectievelijk Griekenland, Italië en België. Daarmee was België trieste koploper in Europa. In Nederland waren er 310 en in het Verenigd Koninkrijk 210 artsen per 100.000 inwoners. De toenmalige rectoren van de VUB en de UA merkten in een reactie terecht op dat er niet een te veel aan Vlaamse artsen was, maar dat het uitsluitend om een Belgische plethora ging. In Wallonië zijn er 17% meer huisartsen en 12% meer specialisten dan in Vlaanderen.

Een foute diagnose in de jaren '90 gesteld

In de jaren negentig besloot de Belgische federale regering de problemen in de gezondheidszorg aan te pakken. Volgens het Ministerie van Sociale Zaken rezen de jaarlijkse kosten voor gezondheidszorg de pan uit. Marcel Colla (SP), de toenmalige minister van Volksgezondheid die in ons geheugen zal blijven als verbieder van flippo's in chipszakjes, dacht die problemen te kunnen oplossen door het aantal artsen te beperken. Alsof hij met deze maatregel alleen de gezondheidszorg zou redden.

De minister besloot dat vanaf 2004 nog slechts 700 afgestudeerde studenten geneeskunde jaarlijks een RIZIV-nummer zouden toegekend krijgen (waarvan 420 voor Vlaanderen). Met andere woorden: ook al kwamen er meer nieuwbakken artsen op de markt, slechts 700 (aanvankelijk zelfs maar 600) zouden een praktijk kunnen starten waarbij de patiënt voor een raadpleging terugbetaling geniet. De minister ging er van uit dat patiënten nooit naar een arts stappen, bij wie ze geen terugbetaling via het ziekenfonds ontvangen.

Met deze maatregel stelde de federale overheid de gemeenschappen voor een voldongen feit. De toenmalige Vlaamse minister van Onderwijs, Luc Van den Bossche (SP.a) was blijkbaar niet op de hoogte van de plannen van zijn federale collega en partijgenoot. De discussie die zich tussen Colla en Van den Bossche in aanwezigheid van studentenvertegenwoordigers ontspon was surrealistisch. Of de om zijn cynisme beruchte Van den Bossche nu echt van niets wist of dat hij acteerde, is nog altijd niet duidelijk. Wat er ook van zij, zijn optreden benaderde het niveau van de goedkope soap.

In Vlaanderen was iedereen het er over eens dat het aantal artsen beter aan de instroom zou beperkt worden, dus vooraleer jongelui aan hun studies beginnen. Beter dan na zeven jaar studies hun aantal te limiteren. De vraag naar een ingangsexamen was hiermee gesteld. Hoewel een ingangsexamen 'de minst erge oplossing' leek te zijn, rezen er vooral in studentenmiddens vragen. Hoe kon je in zo'n beperkte tijdsspanne een goed en representatief examen organiseren? De geneeskundestudenten, voornamelijk in Leuven, startten een intensief overleg met hun collega's over het hele land. Al snel werd tussen de geneeskundestudenten van de Vlaamse universiteiten een consensus gevonden. Aan Franstalige zijde bleef het echter oorverdovend stil. De Franstalige studenten geneeskunde en hun beleidsmakers lieten alles op zijn beloop. Daar waar de Vlaamse studenten een actieve inbreng hadden in het tot stand komen van het Vlaams ingangsexamen voor artsen en tandartsen, zouden hun Franstalige collega's na drie jaar studies geneeskunde wel zien wie geschikt was om verder te studeren. Zo werd aan Vlaamse zijde 'het probleem' beheerst, aan Waalse zijde beperkte men na de drie jaar studies, geenszins voldoende het aantal studenten. De Franstaligen dokterden overigens een 'simpele' oplossing uit om het probleem te omzeilen. Met het decreet-Dupuis schafte de Waalse Gemeenschap (PS-MR-Ecolo) haar alternatieve numerus clausus met terugwerkende kracht af. "Le MR veut la peau du numerus clausus" titelde *Le Soir* (13 juli 2002). Nochtans bestaat er voor de Franstaligen wél een numerus clausus als het om de veeartsenij gaat. De redenering is hier dat je moeilijk met pakweg 30 studenten veearts rondom één koe kan staan om de stiel te leren. Een redenering die blijkbaar niet opgaat als het om mensen gaat...

Voormalig rector van de VUB, Els Witte, was haast visionair toen ze in 1997 in *De Huisarts* een interview over de numerus clausus weggaf. "Maar alles wat te maken heeft met structuren en de regelgeving van de gezondheidssector zal uiteraard nog meer twee verschillende sporen gaan volgen. Kijk maar naar de numerus clausus in de geneeskunde, waar je in Wallonië een heel andere aanpak ziet", aldus professor Witte. Niettemin deemsterde de stoere taal van de MR langzaam weg toen verkiezingen in zicht kwamen. Volgens *De Standaard* (19 februari 2003) vreesde de MR dat de Vlamingen het eenzijdig Franstalig afschaffen van de numerus clausus zouden aangrijpen om de splitsing van de gezondheidszorg te eisen. Het officieel motief om de numerus clausus op te blazen aan Franstalige zijde is een zogezegd tekort aan artsen in Wallonië. Volgens *Le Soir* kon de minister van Volksgezondheid Jef Tavernier (Agalev, nu Groen!) de Franstaligen daarin volgen. Tavernier was met andere woorden bereid het failliet van de Sociale Zekerheid te bezegelen en de Vlaamse artsen en studenten de rekening te laten betalen voor het Franstalig wanbeleid. Dat Tavernier hierin onverwachts steun kreeg vanuit de Vrije Universiteit Brussel en de Universiteit Antwerpen verbaasde niemand. Met slechts een handvol geneeskunde- en tandheelkunde-studenten zou de overheid wel eens de bestaansredenen van bepaalde faculteiten in vraag durven stellen. Bijgevolg zouden de respectieve-lijke universitaire ziekenhuizen over minder goedkope werkkrachten (de assistenten) beschikken. Dat het eigenbelang hier om het hoekje kwam kijken, staat als een paal boven water. Ondertussen strekt het de VUB tot eer dat ze de opleiding tandheelkunde stopte. De huidige rector oordeelde dat er te weinig studenten waren om een kwalita-tieve opleiding aan te bieden. Zo springt hij ook rationeel om met overheidsgeld, geld van ons allen.

In 2004 trad dus voor het eerst de contingentering in werking en toen al kon je vaststellen dat het met het aantal artsen de verkeerde kant uit ging. En dit ondanks het feit dat de Vlaamse studenten jaar na jaar een ingangsexamen moesten afleggen én hun Waalse collega's niet. Cijfers gepubliceerd in *Artsenkrant* en *De Huisarts*, in antwoord op een parlementaire vraag van Patrick De Groote (N-VA) aan mi-nister Demotte, leren namelijk dat zowel Vlaanderen, Brussel als Wallonië boven het wettelijk toegelaten aantal artsen gaan. De con-tingentering ligt nochtans vast op 700 artsen per jaar. Meer nog, uit dezelfde vraag blijkt dat er te weinig artsen huisarts worden en te veel specialist. Senator Wouter Beke (CD&V) deed de oefening nog eens op eigen houtje over en kwam voor het jaar 2005 tot dezelfde bevin-dingen. De absolute cijfers wijken wel wat af van wat minister Rudy Demotte antwoordde op de parlementaire vraag van Patrick De

Groote, maar niettemin zijn beide cijfers interessant. Er bestaat bovendien nog een derde reeks cijfers. Deze komen uit de thesis *Numerus Clausus in Geneeskunde*, geschreven naar aanleiding van een studie over ziekenhuisbeleid en ziekenhuismanagement aan de KULeuven. Het zijn de cijfers van de officiële planningscommissie onder leiding van dr. Dercq (voormalig adviseur van minister Demotte). Vreemd genoeg schreeuwen de cijfers van de zogezegde wetenschappelijke planningscommissie om meer artsen en die van De Groote / Beke om een verdere beperking van het aantal artsen.

Het noodzakelijke cijferwerk

Volgens de planningscommissie zouden in 2004 in Vlaanderen 571 artsen afstuderen. Nu blijken er maar 494 mét een RIZIV-nummer te zijn. Nog teveel, maar toch al een verschil van 77. De conclusie dat er ook in Vlaanderen te veel artsen op de markt komen, lijkt dus op het eerste zicht terecht. Toch moet het totaalplaatje bekeken worden. Indien je de cijfers van de planningscommissie corrigeert op basis van wat de werkelijke cijfers zijn in 2004, dan kom je tot de vaststelling dat er in Vlaanderen geen 132 te veel zullen afstuderen over de komende periode van 7 jaar, maar 272 minder dan het toegelaten aandeel. Wanneer je de cijfers van senator Beke gebruikt om te corrigeren (en dus niet die van het RIZIV), kom je nog altijd 51 eenheden onder het toegelaten aantal uit.

In Franstalig België ligt dat even anders. Hoewel ook hier dr. Dercq het aantal artsen – 238 eenheden – overschatte, blijft Franstalig België met een teveel van 85 artsen kampen, daar waar Vlaanderen 272 artsen onder zijn contingent blijft. Als je dan bedenkt dat er nu al één arts is voor 159 Brusselaars, één voor 233 Walen en één voor 270 Vlamingen dan is de conclusie vlug getrokken. De gewesten met de meeste artsen leveren nog steeds het grootste aantal af en Vlaanderen met het kleinste aantal artsen doet de hardste inspanningen om te beperken. In *De Standaard* (12 maart 1993) vatte Guy Tegenbos de numerus clausus als volgt samen: "Vlaanderen heeft ruim voldoende artsen, maar nog niet echt véél te veel. Het Vlaamse cijfer ligt iets boven het Europees gemiddelde. De Waalse en Brusselse cijfers liggen er ver boven. Dáár bestaat echt een probleem van artsen zonder werk en zonder inkomen. Daar bestaat echt een probleem van overkonsumptie. In Vlaanderen niet. Er is dus geen enkele reden waarom Vlaanderen bij hoogdringendheid een brutale *numerus clausus* aan zijn jongeren moet opleggen. Als Vlaanderen *blijft* opleiden tegen het huidige tempo, zit het *straks* wél met een probleem, ..."

Om de Franstaligen te verplichten tot beperking (net zoals de Vlamingen) startte ik een petitie voor het behoud van de contingentering (www.contingentering.be). Dit schoot de decaan van de faculteit Geneeskunde van de Université Catholique de Louvain in het verkeerde keelgat. Hij schreef me een (vriendelijk) briefje waarin hij mij erop attent maakte dat de Franstalige studenten het eigenlijk zwaarder te verduren krijgen. "Les étudiants francophones ont été "lésés" par la sélection tout autant que les candidats étudiants néerlandophones et même peut-être plus gravement puisque beaucoup ont été réorientés alors qu'ils avaient déjà réussi une ou deux années d'études universitaires médicales." Het feit dat duizenden Vlaamse studenten niet eens aan de studies konden beginnen en dat ze een ingangsexamen moesten afleggen, woog blijkbaar niet op tegen de paar honderd Franstaligen die geen RIZIV-nummer zouden krijgen mocht de contingentering gehandhaafd blijven...

Een jaar later trok Rudy Demotte het contingent artsen naar omhoog. In 2011 en 2012 mogen 833 artsen afstuderen. Hij volgt daarmee, naar eigen zeggen, de 'wetenschappelijke adviezen' van de planningscommissie.

Amper zes maanden later suggereert de planningscommssie opnieuw om het contingent nog maar eens te verhogen, ditmaal tot

975 (jaarlijks met 15 artsen te verhogen). Benieuwd of hier ook weer zogezegde wetenschappelijke argumenten voor zijn. Vanuit Vlaams perspectief moet er niets veranderen, tenzij een verschuiving binnen het contingent: meer artsen moeten huisarts worden en minder artsen moeten (technisch) specialist worden. Maar dan zullen de eersten geherwaardeerd moeten worden.

Het is duidelijk dat hier een Franstalige planningscommissie aan het werk is die op geen enkel moment oren heeft naar de Vlaamse visie. De Franstaligen veranderen de spelregels tijdens het spel. Zelfs het kleinste kind pikt dit niet.

Is het aantal artsen nu zo belangrijk om er een hoofdstuk aan te wijden?

Marcel Colla had het niet helemaal fout voor toen hij stelde dat een teveel aan artsen ook verantwoordelijk is voor een deel van de excessen in de gezondheidszorg. Artsen schrijven onderzoeken en geneesmiddelen voor en dat kost geld. Ik ga er van uit dat elke arts dat in eer en geweten doet, geneeskunde is nu eenmaal geen exacte wetenschap. En alhoewel er richtlijnen bestaan, stralen culturele verschillen op het uitgavenpatroon van de gemeenschappen af. Het aantal artsen beperken heeft een impact op de gezondheidszorg. De aloude wafelijzerpolitiek indachtig moest de verdeling trouwens ook een 60/40 verhouding tonen. Er werd echter geen rekening gehouden met het feit dat er al een historisch gegroeid Franstalig teveel aan artsen is. Door de slechte opvolging wordt nu vastgesteld dat er in de toekomst misschien te weinig huisartsen zullen zijn. Op basis van een onderzoek besluit professor Jan De Maeseneer dat er zich vanaf 2009 al een tekort zou kunnen voordoen, meer bepaald met betrekking tot het aantal actieve huisartsen.

Het blijkt dus dat de strakke structuur waarin de contingentering zich situeert in de nabije toekomst nefast zal zijn voor de toekomst van de eerste lijn (*De Huisarts,* 8 mei 2002). Professor Jan De

Maeseneer stelde ook dat er op geen enkele manier rekening is gehouden met de vervrouwelijking van het beroep. Bovendien trekken steeds meer en meer afgestudeerden naar Nederland terwijl vijftigers vroegtijdig afhaken. Jonge artsen zeggen voor geen geld ter wereld nog een huisartsenpraktijk te willen opstarten. Met andere woorden: er werd geen rekening gehouden met de huidige noch met de toekomstige situatie.

Als prof. Huisartsgeneeskunde verdedigt dokter De Maeseneer natuurlijk zijn stal. Maar ook ziekenhuispediaters, geriaters, psychiaters, hematologen, en anderen… zijn er nu al te weinig. Dat komt in hoofdzaak omdat deze artsen in vergelijking tot hun collega's te weinig verdienen. Dit boudweg zeggen lijkt arrogant. Een arts rijdt toch meestal in een mooie auto en woont vaak in een kast van een huis. Toch staat, volgens de OESO, onze huisarts wat verdiensten betreft onderaan de ladder in de Europese rangschikking, net boven zijn Tsjechische en Hongaarse collega. Een Britse huisarts verdient ongeveer drie keer meer dan een Vlaamse huisarts. Dat de huisarts (ook financieel) ondergewaardeerd is in België is open deuren intrappen. Maar de OESO maakte wel een aantal foutjes. De organisatie bracht ook artsen in rekening die bewust quasi geen praktijk meer voeren. Deze collega's trekken het inkomensgemiddelde fors naar beneden. Daarenboven scheert de OESO alle specialisten over dezelfde kam. Nochtans zijn specialiteiten zonder technische prestaties niet populair omdat ze net niet lucratief zijn. Sommige specialisten verdienen minder dan de huisarts. Bovendien incasseren jonge artsen voor hetzelfde werk soms maar een tiende van wat hun oudere collega verdient. De solidariteit tussen artsen is, als het om centen gaat, soms ver te zoeken…

Over contingentering praten, gaat dus niet alleen over het aantal artsen en over het soort artsen, maar wil ook zeggen nadenken over de invulling van onze gezondheidszorg. In de wetenschap dat de huisarts Vlaams is en het ziekenhuis Franstalig, moet elke gemeenschap best zijn eigen contingent bepalen én betalen.

Het déjà-vu gevoel...

In het voorjaar van 2005 betoogden tweeduizend studenten kinesitherapie in Brussel. De organisatie lag in handen van de studentenvertegenwoordigers van alle Vlaamse opleidingen kinesitherapie die zich in het SKITO (*Studenten Kinesitherapie Tegen Onrecht*) hebben verenigd. De pas afgestudeerde kinesitherapeuten moeten namelijk ná hun studies nog een extra examen afleggen. Dat hebben ze aan de ministers Demotte en Vandenbroucke te danken. Alleen een beperkt aantal geslaagden krijgt een RIZIV-nummer. Dit nummer hebben zij net als de artsen nodig, zo kunnen hun patiënten terugbetaling genieten. Zonder nummer moet de patiënt alles uit eigen zak betalen. Minister Demotte heeft er namelijk een koninklijk besluit doorgeduwd waarin staat dat vanaf 2005 alleen de 450 afgestudeerden die het best scoren op een door Selor georganiseerd selectie-examen (Selor is de instantie die namens de overheid examens organiseert) een RIZIV-nummer kunnen krijgen. Enkel deze gelukkigen kunnen als zelfstandig kinesist aan de slag. Aan Vlaamse kant zullen 270 erkenningen worden uitgedeeld, aan Franstalige kant 180. Vanaf het jaar 2009 zouden deze cijfers nog drastischer ingeperkt worden. Een verlaging met 100 eenheden wordt vooropgesteld. Dit komt neer op 210 erkenningen voor Vlaanderen en 140 voor Wallonië.

De studenten hebben zich tegen dergelijk 'examen achteraf' steeds verzet, maar vingen bot op beide ministeriële kabinetten. Onbespreekbaar heet het, terwijl ieder zinnig mens zo'n examen kafkaiaans (zo stilaan de paarse draad in de paarse regering) vindt. Onder het mom van 'vrije toegang tot het onderwijs' wou Vandenbroucke geen ingangsexamen, maar een extra examen op het eind van de studies. Wat de studenten zelf willen, kan de minister niets schelen. En of Demotte daardoor buiten zijn federale bevoegdheden gaat, doet er blijkbaar ook niet toe. Ook de Vlaamse Interuniversitaire Raad (VLIR) en de Unie van Zelfstandige Kinesitherapeuten bestempelden het plan-Demotte als 'onaanvaardbaar'. Diegenen die uit de boot vallen, vinden volgens Vandenbroucke soelaas in de vele instellingen waarvoor geen RIZIV-nummer nodig is. "In de sport- en culturele sector", orakelt hij. Wat een arrogantie!

Dit voorval illustreert hoe weinig voeling Frank Vandenbroucke met de realiteit heeft. Als er één sector is waar de hoogopgeleide kinesisten terecht zullen komen, is het deze van de farmaceutische industrie. Als de twee ministers hun zin krijgen, zullen kinesitherapeuten aan de slag gaan... als artsenbezoekers. Twee keer fout. Wie dat ontkent, is ziende blind. Waarom? 1. Nu al stikt het van de kinesitherapeuten in deze sector. 2. Net nu de discussie volop woedt over de betaalbaarheid van de gezondheidszorg waarbij de overconsumptie in vraag wordt gesteld (lees: 'de pillenindustrie moet besparen') wordt een heus contingent kinesisten klaargestoomd om artsen geneesmiddelen aan te prijzen.

Belangrijk om weten is dat er ook een communautaire angel aan dit dossier zit. Want als het alleen om Vlaanderen ging, was er wellicht zelfs geen examen nodig geweest. Het probleem zit aan Franstalige kant waar men per jaar 700 tot 800 kinesisten blijft afleveren. In Vlaanderen daalde dat cijfer drastisch in de jaren negentig toen een aantal opleidingen stopgezet werd. De dag dat minister Vandenbroucke als minister van Sociale Zaken het mes in het budget voor de kinesitherapie zette, een uitstapregeling uitwerkte en anderen de kans kregen zich tot verpleegkundige te herscholen, gingen de cijfers in Vlaanderen verder omlaag. In Wallonië daarentegen bleef het studentenaantal vrijwel constant: 600 tot 800 afgestudeerden per jaar. Toch laat minister Demotte uitschijnen dat er aan Franstalige kant wellicht geen examen nodig is. Volgens zijn specialisten zouden maar 200 van de Franstalige afgestudeerden de Belgische nationaliteit hebben. De anderen zouden vooral Fransen zijn die hier komen studeren omdat er in hun land een strikte beperking is. Zij zouden niet de ambitie hebben in België te blijven.

Twee maten en twee gewichten

Het examen was oorspronkelijk gepland vlak na het afstuderen en moest dus normaliter in september 2005 voor de eerste keer georganiseerd worden. Maar Selor kreeg het examen niet op tijd klaargestoomd. Ondertussen konden de pas afgestudeerde kinesitherapeuten aan de slag. Ze konden alvast eens 'proeven' van het echte werk, merkte Demotte cynisch op. Halverwege november was het dan zover. Een niet representatief examen (alles behalve de praktische kennis werd getoetst) bepaalde welke Vlaming effectief kinesitherapeut kon worden en welke niet. De Franstaligen moesten geen examen afleggen. In het verhaal van de artsen hield men geen rekening met een bestaande situatie: er is voornamelijk een bestaand overschot aan artsen in Franstalig België en niet in Vlaanderen. Wat betreft de kinesisten hield men wél rekening met een bestaande situatie: er zouden meer kinesisten in Vlaanderen actief zijn. Hoe verwonderlijk toch dat dit altijd weer in het nadeel van Vlaanderen uitvalt.

Kinesisten en artsen, niet de enigen die met teveel zijn

Wanneer ik een lezing geef over het 'teveel' aan artsen, begin ik meestal niet met een pleidooi voor of tegen het ingangsexamen. Doorgaans steek ik zo van wal:

"De federale minister van Volksgezondheid en Sociale Zaken.

De Vlaamse minister, bevoegd voor Gezondheid.

De minister van de Franse Gemeenschapsregering, bevoegd voor Gezondheid.

De minister van de Duitstalige Gemeenschapsregering, bevoegd voor Gezondheid.

De minister van het Waalse Gewest, bevoegd voor Gezondheid.

De minister, lid van het Verenigd College van de Gemeenschappelijke Gemeenschapscommissie voor bicommunautaire gezondheidsaspecten in Brussel, belast met Bijstand aan Personen en Voogdij over Openbare Ziekenhuizen.

De Brusselse Staatssecretaris en Collegelid van de Vlaamse Gemeenschapscommissie, belast met Welzijn en Gezondheid.

De Brusselse minister en Collegelid bevoegd voor Gezondheid in de Gemeenschappelijke Gemeenschapscommissie.

De Brusselse minister voor Dringende Medische Hulp in de Brusselse Hoofdstedelijke Regering en gelijktijdig Voorzitter van het College van de Franse Gemeenschapscommissie, belast met Gezondheid en Lid van het Verenigd College van de Gemeenschappelijke Gemeenschapscommissie, belast met Gezondheid.

Neen dames en heren, ik lees niet de verkeerde toespraak voor en ik ben niet bezig met de foute verwelkoming. Ik zou vandaag een toespraak geven over het 'teveel' aan artsen, de plethora. Ik begin vandaag met het 'teveel' aan ministers. Het 'teveel' aan ministers, zeker in de gezondheidszorg, zorgt ervoor dat we niet efficiënt omspringen met de centen en dat in een periode waarin de gezondheidszorg onder druk staat..."

Maar het gaat niet alleen over een 'té veel', het is ook een 'té weinig'. Neem nu de tandartsen. Net als artsen doen ook zij een ingangsexamen. Maar melden er zich nog gegadigden? Ze zijn met zo weinig dat de beroepsverenigingen over een tiental jaar een tekort vrezen. Waarom wil niemand nog tandarts worden? Dat is de vraag die je moet stellen en het antwoord is niet het ingangsexamen. Het antwoord vind je in het feit dat in België de studies loodzwaar en peperduur zijn. Studenten tandheelkunde moeten tot net voor de examens doorwerken in de kliniek, ze hebben geen blokperiode, ze moeten zelf patiënten ronselen, ze moeten een paar 1000 euro extra voor hun materiaal op tafel gooien. En willen ze specialiseren dan worden ze soms niet en in het beste geval slechts 60% van een voltijdse wedde uitbetaald. Wie wil onder deze voorwaarden nog studeren? Daarbij draagt niet alleen het beleid verantwoordelijkheid, ook de onderwijsinstanties moeten met de vinger gewezen worden.

Eens afgestudeerd moet de kersverse tandarts een paar honderdduizenden euro's investeren en krijgt hij of zij geen praktijkondersteuning. Dit terwijl zijn Nederlandse collega veel beter verdient, van 9 tot 5 werkt en een tandartsassistente ter beschikking heeft. Geen wonder dat veel Vlaamse tandartsen richting Nederland trekken.

VII.

De huisarts, de specialist en het ziekenfonds: een spanningsveld?

De huisarts: toegangspoort en spil van de gezondheidszorg

Het is niet mijn bedoeling alle sectoren in de gezondheidszorg onder de loep te nemen. Toch maak ik graag een uitzondering voor de huisarts. De huisarts is Vlaams en daarom verdient hij – en meer en meer 'zij' – de nodige aandacht. Vlamingen hebben groot vertrouwen in hun huisarts, ze kiezen een vaste huisarts en gaan vaak in eerste instantie bij hem of haar te rade. Deze trouw moet een hart onder de riem voor onze huisartsen zijn. Nu nog de waardering van de overheid!

Er heerst bij huisartsen een algemene malaise. Onder het bewind van Frank Vandenbroucke mocht dokter Karel Van de Meulebroeke zijn ambitieus *Toekomstplan voor Huisartsgeneeskunde* voorstellen. Een goed plan waarvan de N-VA al in 2002 voorspelde dat het vanwege de Franstaligen een formeel en onomkeerbaar 'non' zou krijgen. De voorstellen van dr. Van de Meulebroeke stonden immers in grote mate haaks op de Franstalige visie op gezondheidszorg in het algemeen en de huisartsenproblematiek in het bijzonder.

Tot ver in de jaren zeventig was de huisarts de man – vrouwelijke huisartsen waren toen eerder uitzondering dan regel – van wie verwacht werd dat hij zijn patiënten 'van de wieg tot aan het graf' begeleidde. Hij stond haast bestendig ter beschikking, presteerde meer dan overvolle werkweken, maar genoot een groot maatschappelijk aanzien. In de voorbije decennia is die situatie ingrijpend gewijzigd. Steeds meer artsen kampen met een *burn out*. Het beroep is niet langer aantrekkelijk meer. Niet te verwonderen dat steeds meer jonge huisartsen de grens overtrekken. "Zeven op tien huisartsen die in 1995 promoveerden aan de verschillende Belgische universiteiten, stonden vijf jaar later nog in het beroep. In een studie die vijf jaar geleden in Vlaanderen werd gevoerd, was dat maar 52 procent" (*Artsenkrant*, 2 maart 2002). Drie op tien huisartsen stappen na vijf jaar uit het beroep. Daarenboven vergen nieuwe uitdagingen bijkomende kennis en complexe vaardigheden, doordachte methoden voor een zo efficiënt mogelijke hulpverlening, samenwerking tussen zorgverleners uit verschillende disciplines en dit op diverse niveaus van de gezondheidszorg.

Al in 1997 sprak 82,3% van alle ziekenhuisartsen zich uit voor een taakverdeling tussen huisartsen en specialisten. Een goede 56% van de artsen was zelfs voor een financiële beloning voor arts en patiënt. Indien de patiënt zich schikt in het getrapte systeem waarbij hij dus eerst naar de huisarts gaat en dan pas naar de specialist wel te verstaan. Ook dat moet de *trigger* zijn om te komen tot een soepeler taakverdeling, waar de huisarts als spil én toegangspoort tot de gezondheidszorg fungeert. Voor de meeste Vlamingen is hij/zij dat trouwens al. De helft van de Vlamingen kiest voor een vaste huisarts, Walen voor 19% en Brusselaars voor 17%. Daar waar de Vlaming van nature uit eerst zijn huisarts raadpleegt, trekt de Franstalige naar de voor zijn beurs goedkopere, maar voor de maatschappij veel duurdere spoedgevallendienst.

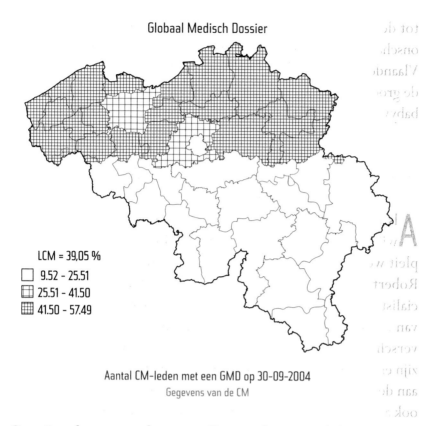

Globaal Medisch Dossier

LCM = 39,05 %
- ☐ 9.52 - 25.51
- ⊞ 25.51 - 41.50
- ▦ 41.50 - 57.49

Aantal CM-leden met een GMD op 30-09-2004
Gegevens van de CM

Om zijn rol van toeverlaat ten volle te spelen moet de huisarts verlost worden van de groeiende administratieve rompslomp. De huisarts vult te veel papieren in. *Kafka* (het speeltje van staatssecretaris Vincent Van Quickenborne, VLD) dat er voor zou zorgen dat alles eenvoudiger werd, verandert daar niets aan. In deze aangelegenheid geeft 'de nar van paars' niet thuis.

De toename van de individuele vereisten en inspanningen die van de huisarts worden gevraagd, gaat evenwel gepaard met een afname van de maatschappelijke erkenning en materiële ondersteuning. Daarom zullen er weldra tekort zijn.

Maar ook andere eerstelijnwerkers zijn en blijven een aanspreekpunt voor de patiënt. Vooral de rol van de apotheker mag niet onderschat worden. De apotheek is vaak de laagste drempel tot de gezondheidszorg. Een apotheker in wijk, dorp of stad is van onschatbare waarde voor het eerste advies. Daarom moet Vlaanderen aan dit geslaagd model vasthouden en de apotheken uit de grootwarenhuizen houden. Als het aan Europa ligt, vind je straks babyvoeding tussen hondenvoer.

De specialist aan het woord?

Als klinisch bioloog wil ik geen hoofdstuk aan de specialisten wijden, het zou te veel op een pleidooi pro domo lijken. Ik pleit wél voor meer nuance in het debat dat de specialisten treft. Robert *Steve* Stevaert schilderde in ware Vlaams Blok -stijl de specialisten af als gulzige geldwolven, die als parasieten de budgetten van de gezondheidszorg leegzuigen. Onterecht als je weet dat de verschillen in verdiensten tussen specialisten onderling enorm zijn en dat deze artsen grote sommen van hun verdiensten afdragen aan de werking van de ziekenhuizen. Hen staat het water trouwens ook aan de lippen. Ziekenhuizen moeten de eindjes aan elkaar knopen om rond te komen. Bovendien zijn huisartsen ook specialisten, het zijn specialisten huisartsgeneeskunde. Waarmee ik wil benadrukken dat de opsplitsingen *prevention-care-cure*, huisartsen-specialisten, eerste-tweede-derde lijn vaak artificieel zijn. Ik ben op zoek naar een geïntegreerde zorg die het puur medische zelfs overstijgt. Vanzelfsprekend zullen er afspraken omtrent taakverdelingen en verantwoordelijkheden moeten gemaakt worden. Niet de overheid zal dat doen, maar de overheid in overleg met alle betrokkenen. Geen volmachten, wel dialoog. Een gezondheidszorg die niet gedragen wordt door mannen en vrouwen die de gezondheidszorg elke dag waar maken, kan geen goede gezondheidszorg zijn.

Een geïntegreerde zorg is geen aanslag op de specialistische geneeskunde. Mocht dat eens goed uitgelegd worden dan zou veel duidelijk worden. Het eerstelijnsdecreet van de Vlaamse Gemeenschap

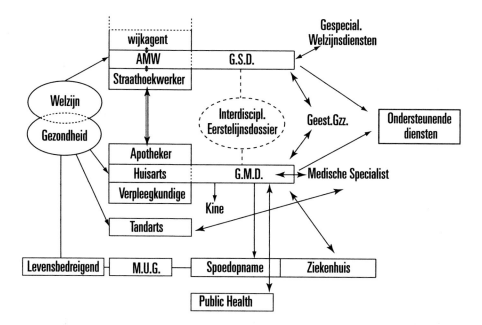

Op het eerste zicht zou een mens denken dat gezondheidszorg een zaak van de arts en de verpleegkundige is. Dit schema toont dat veel meer mensen betrokken zijn bij ons psychisch, fysisch en sociaal welzijn.
Als deze spelers in het veld geïntegreerd werken, spreken we van een goede gezondheidszorg.
© bron: VGR

(3 maart 2004) was een stap in de goede richting op weg naar een Vlaamse gezondheidszorg. Jammer genoeg 'vergat' men, bewust of onbewust, de enkele duizenden extra-murosspecialisten (dit zijn specialisten werkzaam buiten het ziekenhuis, meestal bij hem of haar thuis) in het verhaal. Mocht er overleg met alle betrokkenen zijn geweest, was deze groep (enkele duizenden artsen) ten minste 'besproken' geweest. De politici mogen trouwens niet vergeten dat volgens een CM-enquête 80% van de mensen nog altijd de mogelijkheid wil om rechtstreeks naar de specialist te stappen.

Ziekenfondsen en gezondheidszorg, een verhaal van rechter en partij

Bij problemen komen u en ik bij onze ziekenkas terecht. Ziekenfondsen staan hun leden met raad en daad bij. Een lid brengt hen ook een pak centen op. Toch laten ze af en toe een steekje vallen. Wanneer je naar de dokter gaat krijg je een briefje, een getuigschrift. De overheid zorgt er voor dat die briefjes gedrukt worden en bezorgt ze aan de artsen. Op die manier kan de overheid de dokters ook controleren. Om een of andere duistere reden waren er begin april 2005 geen briefjes meer. Een probleem dat zich trouwens af en toe herhaalt. Enkele inventieve huisartsen plaatsten een kopie van zo'n briefje op het internet zodat andere artsen dit van het internet konden halen en gebruiken. Op die manier hadden de patiënten een briefje, de dokter zijn geld en kon het ziekenfonds dit in één keer met de overheid regelen. Dit was buiten waard Justaert (CM) gerekend. Hij zou de briefjes van zijn patiënten/leden niet aanvaarden. Volgens de letter van de wet had de man gelijk, maar dat hij hiermee een groot deel van zijn patiënten met een bijkomende last opzadelde, speelde blijkbaar geen rol. Ik had ten minste verwacht dat het ziekenfonds de patiëntenbelangen had verdedigd, wars van wat de letter van de wet dicteert. Marc Justaert was het daar niet mee eens en schreef me dat het persbericht dat ik daarover namens de N-VA had verspreid hem "ten zeerste had geraakt", waarmee hij zichzelf in een slachtofferrol duwde. Medelijden met ziekenfondsen hoeven we nochtans niet te hebben. Sommige genereren zoveel winst dat ze als het ware in marmeren huizen wonen. Kan het ook anders? De administratiekosten van alle ziekenfondsen samen reiken hoger dan het gezamenlijk inkomen van alle huisartsen. Ze verdubbelden op tien jaar tijd.

Maar ziekenfondsen zijn al lang geen ledenverenigingen meer die als een verbruikersunie het belang van haar leden behartigt. Als je het zwart-wit stelt is een ziekenfonds een doorgeefluik. Geld vloeit van de overheid naar de patiënt terug, maar passeert langs het ziekenfonds. En waar geld langskomt, blijft het ook plakken in behuizing, organisatie en andere besognes. Ware het daarom niet beter dat de centen rechtstreeks vanuit de overheid naar de patiënten terugvloeien? Het doorsnee ziekenfondslid is trouwens nog altijd vrij onmondig. Misschien verdedigt *Testaankoop* op bepaalde vlakken wel meer de belangen van de patiënt dan de ziekenfondsen. Wanneer *Testaankoop* de diverse hospitalisatieverzekeringen doorlicht, zal dat de patiënt meer helpen dan dat het ziekenfonds dit doet. Het ziekenfonds kan dat trouwens niet objectief doen, want het biedt zelf de privé-verzekering aan. Weliswaar onder een andere naam.

Ik heb er ook problemen mee dat ziekenfondsen in naam van de overheid een controlefunctie uitoefenen. Eigenlijk zou de overheid deze klus zelf moeten klaren. Bovendien zou de overheid de ziekenfondsen moeten controleren, want ziekenfondsen organiseren ook zelf gezondheidszorg. Misschien gaat u wel naar een ziekenfondsapotheek of naar een 'ziekenfondsziekenhuis'. Wanneer ziekenkassen controleren in opdracht van de overheid, controleren zij eigenlijk zichzelf. Dit gaat regelrecht in tegen elk principe van goed bestuur. Bovendien stel ik me de vraag wat er gaat gebeuren als het aandeel van de private verzekeraars (op de vrije markt) toeneemt en zij vragende partij worden om deel te nemen aan de controle en regulatie van de gezondheidszorg.

Als er een teveel aan artsen en kinesitherapeuten zou zijn, dan is er voor mij zeker een teveel aan ministers en zijn de ziekenfondsen er in hun huidige gedaante er ook te veel aan. Dit lijkt radicaal, maar zelfs de bezadigde Guy Tegenbos schreef al in 1993: "De Vlaamse politici moeten een nationale *numerus clausus* voor de geneeskunde voor Vlaanderen radikaal afwijzen, én onmiddellijk starten met de diskussies over de vraag wat voor gezondheidszorg Vlaanderen wenst tegen het jaar 2000. En daaruit berekenen hoe groot de behoefte aan artsen dan zal zijn. De Vlaamse politici die verantwoordelijk zijn voor het Vlaams gezondheids- en onderwijsbeleid, moeten de aanzet daartoe geven. Nú. Omdat Vlaanderen nú het gezondheidsbeleid moet voorbereiden dat het over enkele jaren wil, moet en zal voeren."

Meer dan tien jaar later zijn deze woorden jammer genoeg nog steeds actueel!

VIII. Casuïstiek

In de medische literatuur worden regelmatig *case reports* of *gevalsbesprekingen* gepubliceerd. Dat gaat dan zo. De auteur stelt in een typisch jargon met korte zinsneden een patiënt of casus voor. Vervolgens wordt de zaak aan een discussie gekoppeld zodat er wat van opgestoken wordt. Vanuit dit beproefde concept wil ik de gezondheidszorg concreet belichten. Daarbij zet ik – niet onbewust – de patiënt centraal, midden de omvangrijke wereld van de gezondheidszorg, omringd door vele soorten gezondheidszorgwerkers.

Casus 1

casus.

Elvire, een 46-jarige vrouw, lijdt aan suikerziekte. Elvire wordt al een tijd door haar huisarts van nabij gevolgd. Haar suikerspiegel is goed. Zij let op haar voeding en probeert wat meer in beweging te zijn. Onlangs kreeg Elvire twee zware klappen te verwerken. Haar suikerspiegel werd wispelturig en ze diende over te schakelen van pilletjes naar prikjes. Ook werd in haar borst een *bolletje* gevonden. De artsen verwijderden het verdachte gezwel. Achteraf bleek dat de tumor kwaadaardig was. Nu krijgt Elvire chemotherapie.

discussie.

Vreemd genoeg was het de apotheker die er Elvire voor het eerst op wees dat ze best een arts kon raadplegen. Elvire was nogal preuts en had nog nooit een borstonderzoek laten doen. Haar huisarts had haar nochtans herhaaldelijk gevraagd of ze dit zelf deed en of ze ooit al een gynaecoloog voor een borstonderzoek had opgezocht. Om van die vervelende vragen verlost te zijn, antwoordde Elvire steevast 'ja'. In werkelijkheid was er van een echo en een mammografie nooit sprake geweest. Maar toen ze in de apotheek een gesprek hoorde tussen de apothekeres en een andere vrouw, durfde ze om raad vragen. De apothekeres herkende een alarmsymptoom en raadde Elvire aan zo snel mogelijk haar huisarts op te zoeken. De invloed die de apothekeres op Elvire had, was van doorslaggevende aard. Elvire ging naar de huisarts en binnen de week kreeg ze een eerste behandeling. Elvire herinnert het zich nog goed. Op de avond dat ze het 'vonnis' vernam, was er een reportage op televisie. Engelse vrouwen in een gelijkaardige situatie staan op een wachtlijst met alle gevolgen van dien. Elvire prees zichzelf gelukkig dat ze meteen aan de beurt was. Ze krijgt nu chemotherapie en haar toestand evolueert in goede zin. Ook gaat ze jaarlijks naar de oogarts, laat haar voeten verzorgen en loopt regelmatig langs bij de cardioloog. Zo worden de gevolgen van de suikerziekte van nabij gevolgd. Eigenlijk kan Elvire het allemaal niet meer bijhouden. Maar dat doet de huisarts in haar plaats.

conclusie.

De huisarts heeft het knap lastig om alles bij te houden. Nochtans is de oplossing eenvoudig. De meeste huisartsen stappen meer en meer over naar het elektronisch dossier. Al in 2002 stelde de N-VA het *Vlaams Netwerk Elektronisch Dossier* (VNED) voor. Er werd aan voorbijgegaan. Maar in Leuven draait het al voor een stuk, onder de naam LISA. Het VNED is een netwerk tussen alle gezondheidszorgwerkers, artsen hebben volledige toegang, pakweg ambulanciers in beperkte mate. Elvire zou op haar SIS-kaart (die beter in haar identiteitskaart geïncorporeerd kan worden) kunnen laten 'schrijven' dat ze aan suikerziekte lijdt. Zo weet ook de ambulancier wat te doen wanneer ze buitenshuis plots onwel wordt. Via dit beveiligd systeem kunnen artsen ook vlot communiceren en kunnen dubbele onderzoeken vermeden worden. Langs deze elektronische weg kan de huisarts ook automatisch brieven laten genereren die er Elvire op attent maken dat ze jaarlijks naar de oogarts moet, dat ze voor een uitstrijkje moet langskomen, dat ze een mammografie moet laten uitvoeren...

Casus 2

casus.

Victoria is een 85-jarige vrouw die recent door een hersenbloeding getroffen werd. Ze is nog helder van geest en beseft ten volle in welke penibele situatie ze verkeert. Met haar echtgenoot woont ze nog steeds in haar eigen huis. Zelfstandig eten kan ze niet meer, zich wassen ook niet. Ze is moeilijk te been en zit aan haar zetel gekluisterd. Toch wil Victoria stellig in haar eigen huis blijven wonen. De kinderen zaten met de handen in het haar want ook hun vader kon de toestand niet alleen meer aan. Hun moeder naar een verzorgingsinstelling brengen, kregen ze niet over hun hart. Dat wou Victoria's man trouwens ook niet. Maar er is hoop voor haar én voor hem.

discussie.

Een heel team staat paraat voor Victoria. De kinesitherapeut komt dagelijks langs. In de eerste weken liep de revalidatie zo bemoedigend dat Victoria een stukje recupereerde en bepaalde handelingen weer zelf kon doen. Jammer genoeg kon de kinesitherapeut niet blijven komen. Daarom legt Victoria uit eigen portemonnee voor de kinesitherapeut bij. Dankzij hem blijft ze in beweging, houdt ze sociaal contact, krijgt ze nuttige tips, enzovoort... Ook haar man steekt er wat van op. Zo leerde de kinesitherapeut hem alles over til-technieken. De verpleegster komt elke dag langs, net als de thuisverzorger. In het begin was er wat wrevel over wie Victoria nu moest wassen. In samenspraak met de familie troffen beide verzorgers een regeling zodat alles nu soepel draait. Ook de kinderen steken een hand toe zodat hun vader het wat rustiger aan kan doen. Geholpen door de logopedist leerde Victoria weer beter spreken en slikken. Tenzij anders nodig komt de huisarts wekelijks op bezoek. Hij regelt en coördineert de hele samenwerking en steekt daar veel van zijn tijd in.

conclusie.

De brede mantelzorg draait hier op de *goodwill* van vele mensen. Wettelijk is er geen kader die de taken tussen de thuisverzorger en thuisverpleger afbakent. Victoria moet straks ook nog meer uit eigen zak betalen omdat minister Demotte op haar thuisverpleging gaat besparen. Ook de logopedist wordt duurder en onlangs werd het aantal beurten kinesitherapie teruggeschroefd. Nochtans is verzorging in een instelling veel duurder en verkiezen de meeste bejaarden zo lang mogelijk in hun huis te blijven.

Casus 3

casus.

Steven is een 25-jarige man die ergens in Vlaanderen zijn stage heelkunde loopt. Behalve dat de artsen ooit een paracardiaal vetkwabje bij hem hebben vastgesteld, is hij in goede gezondheid. Elke morgen om halfacht staat Steven fris en monter in het operatiekwartier, hij kijkt nauwlettend toe en leert veel bij. Maar Steven werkt er ook hard, hij assisteert onbezoldigd de chirurg en klopt lange dagen met een korte middagpauze. 's Avonds keert hij terug naar de zaal waar hij de patiënten ziet die 's anderdaags geopereerd worden. Hij onderzoekt ze nog een keer en geeft hen wat uitleg over de ingreep. Vele uren per dag perforeert, sorteert, klasseert, kopieert Steven alle verslagen, ... En hup, hij wordt alweer opgebeld. Dit keer door de spoedgevallendienst. Die avond is hij ook van wacht, hij is dat één op vijf dagen. Steven mag zich gelukkig prijzen. Veel van zijn collega's doen één op drie wachtbeurten, uitzonderingen zelfs één op twee. Maar Steven klaagt niet, hij doet het graag en leert enorm veel bij. Het is een harde leerschool maar iedereen deed het ook zo voor hem. Waarom zou het dan met hem anders moeten?

discussie.

Steven loopt nu stage in Nederland. Gedaan met sorteren, klasseren en perforeren. Een zaalsecretaresse op elke verdieping houdt de administratie bij van alle verpleegsters (*zusters* en *broeders* heten ze daar), stagiairs, assistenten en artsen-stafleden. De verpleging doet uitsluitend de taken waarvoor ze is opgeleid. Dat geldt ook voor de stagiair en de assistent. Dat maakt dat ze gemakkelijk 30 uur per week minder werken dan bij ons.

conclusie.

Toch gaat ook in Nederland iedereen gebukt onder de vele regeltjes, er zijn er nog meer dan in België. De waarheid ligt tussen de twee: het harde werk hier zorgt er voor dat er geen wachtlijsten voor de patiënten zijn. Patiënten in België moeten beseffen dat ze verwend worden. Wanneer in Nederland de heupprotheses in oktober 'op' zijn, dan zijn ze ook werkelijk op. Met veel mazzel kun je er in één of andere uithoek van het land misschien nog eentje op de kop tikken. Anders is het wachten tot volgend jaar! Anderzijds kunnen wij ook veel leren van de Nederlandse efficiëntie. Deze zou verplegers, artsen stagiairs, assistenten en andere paramedici met minder frustraties opzadelen.

Casus 4

casus.

Roos is een pittige 17-jarige jongedame. Ze heeft sinds kort een relatie en neemt haar voorzorgen. Roos wil dat de huisarts haar de pil voorschrijft. Onlangs hoorde ze op *De Zevende Dag* een dame ijveren voor de gratis pil, deze zou de vrouw namelijk onafhankelijker maken. En ze beweerde ook dat het gebruik van de pil de kans op seksueel over-draagbare aandoeningen zoals syfilis, gonorroe en HIV verkleint! Roos ziet die gratis pil wel zitten, want met haar zakgeld en de centen die ze met haar vakantiejob bijeensprokkelde, heeft ze moeite om die pil te betalen. Sinds ze een lief heeft, liep haar GSM-factuur nogal hoog op.

discussie.

De huisarts legt Roos het gebruik van de pil uit. Hij zegt haar ook dat het soms zoeken is naar de juiste pil. Roos gaat voor die ene goedkope pil, die door de overheid terugbetaald wordt. De huisarts schrijft haar die pil voor. Gelukkig kwam Roos langs bij de huisarts zodat ze nu ook correct werd geïnformeerd. En passant hoort Roos ook dat ze ondanks het pilgebruik nog altijd risico loopt op een seksueel overdraagbare aandoening.

Een aantal maanden later komt Roos bij de huisarts terug. Ze ver-draagt de voorgeschreven pil niet. Ze krijgt er puistjes van en denkt dat ze meer dan normaal haar verliest. De huisarts stelt haar een andere pil voor, maar die is duurder en wordt door de overheid niet terugbetaald. Roos besluit haar GSM-verkeer in te tomen en… kiest voor een comfortabele pil.

conclusie.

Wanneer de overheid beslist om één medicijn in een bepaalde categorie terug te betalen en een andere niet, of veel minder, dan moet de verantwoordelijke minister beseffen dat de zaken niet zo eenvoudig in elkaar zitten als hij denkt. Ministers zijn namelijk geen artsen. Je zou kunnen stellen dat Roos het slachtoffer is geworden van het zogenaamde kiwimodel. De wonderremedie, door Robert *Steve* Stevaert gelanceerd, stelt eigenlijk dat de mensen alleen nog kiwi's zouden mogen eten. Wie een ander stuk fruit lust, moet daarvoor de volle pot betalen. Wie allergisch is aan kiwi's heeft pech. Alleen gaat het hier niet over fruit, maar over geneesmiddelen.

Casus 5

casus.

Jules is 76 jaar en grootvader van 14 kleinkinderen. Hendrik is zijn oogappel en komt vaak op bezoek. Onlangs werd Jules met een longontsteking in het ziekenhuis opgenomen. Een pneumokok was de oorzaak van zijn probleem.

discussie.

Uit interesse wilde de arts weten om welke soort pneumokok het ging. Het laboratorium rapporteerde een pneumokok die vaak bij kinderen voorkomt. Meteen was de cirkel rond. De achttien maanden jonge Hendrik was niet ingeënt met het nieuwe pneumokokkenvaccin. Zijn ouders vonden de prik te duur. Het zou hen vier keer 68,27 euro hebben gekost. Bovendien dachten ze dat de kans dat hun kleine Hendrik ziek zou worden eerder klein was. Maar zijn grootvader deelde wel in de brokken.

conclusie.

Niet alleen verhindert of vermindert vaccinatie van kinderen ziekten bij kinderen, maar ook de mensen rondom hen doen er hun voordeel mee. Ze worden dan beschermd omdat anderen beschermd zijn. Een vaccinatiecampagne in Vlaanderen is nodig, maar de veelheid aan ministers die hierover moet beslissen legt alles lam.

Casus 6

casus.

Katrien is 12 jaar en heeft ADHD. Ze is hyperkinetisch, zoals de volksmond zegt. Het meisje slikt Rilatine, 15 pillen per dag. Tot voor kort kostte een doosje van 20 pillen 2,60 euro. De producent verhoogde eenzijdig de prijs van een doosje van 2,60 naar 6,52 euro.

discussie.

De ouders van Katrien zoeken steun bij de organisatie *Zit Stil*. Die contacteert een aantal volksvertegenwoordigers. Zowel Geert Bourgeois (N-VA) als Patrick De Groote (N-VA) stellen de minister van Economie en zijn collega van Volksgezondheid daarover vragen.

conclusie.

De ministers schuiven de hete aardappel naar elkaar door en de patiëntjes zijn de dupe.

Casus 7

casus.

Dokter Op de Berg werkt in zijn ziekenhuis al jaren aan een antibioticabeleid. Hij is trots dat bij hem niet meer wordt gebruikt dan in de Scandinavische landen en dat is heel weinig. Eigenlijk is dr. Op de Berg een vreemde eend in de bijt, want de meeste ziekenhuizen verbruiken te veel antibiotica. Omdat er in dit land geen daadwerkelijk gecoördineerd beleid is, lijkt het ziekenhuis van dr. Op de Berg als een oase in de woestijn. Zonder geld, maar met leeuwenmoed probeert hij zijn collega's ervan te overtuigen de juiste of liefst geen antibiotica te gebruiken.

discussie.

Toch stelt dokter Op de Berg zich nu existentiële vragen. Onlangs plaatste hij een nieuw soort antibioticum op de reservelijst. Zo kan het niet zomaar gebruikt worden, hij wil bovendien dat zijn collega's hem erover raadplegen. Op die manier 'spaart' Op de Berg het antibioticum voor ernstige gevallen en hoopt hij dat er minder resistente bacteriën zullen door verschijnen. Net nu stelt de dokter vast dat bepaalde huisartsen in de streek het bewuste antibioticum veelvuldig voorschrijven zodat hij regelmatig patiënten ziet die het goedje al nemen. Dokter

Op de Berg wordt er moedeloos van. Want waarom dat antibioticum nog langer op de reservelijst van zijn ziekenhuis houden?

conclusie.

De overheid moet de moed hebben bepaalde medicijnen –zeker antibiotica– die een impact hebben op de toekomst van onze gezondheid, te reserveren. Bijvoorbeeld alleen voor het ziekenhuis. De overheid mag hierin niet toegeven aan de druk die vanuit de farmaceutische industrie komt. Het algemeen belang heeft hier beslist voorrang. Dat wil niet zeggen dat het bedrijf dat een nieuw antibioticum ontwikkelde, daarvoor niet beloond mag worden. Daarom mag het nieuwe product wat meer kosten, zodat het bedrijf passend gehonoreerd wordt voor de geleverde inspanningen.

Casus 8

casus.

Pieterjan is een 56-jarige Nederlander die in zijn land woont en werkt. Hij heeft de *ziekte van Gilbert* waardoor hij soms wat geel ziet, maar ziek is hij niet. Hij heeft veel Vlaamse vrienden en op de camping wordt er al eens gediscussieerd in welk land het nou beter wonen en werken is. Wonen in Vlaanderen is niet aan Pieterjan besteed, daarvoor verdient hij niet genoeg. Tot voor kort was Pieterjan overtuigd dat Nederland een beter stekkie was.

discussie.

Op een dag brak Pieterjan zijn heup. De inderhaast bijgeroepen huisarts verwees hem naar de spoedeisende hulp. Zonder zo'n verwijzing kom je er in Nederland namelijk niet in. De dokters in het ziekenhuis bevestigden de diagnose van Pieterjan's huisarts. Ze boorden een pinnetje in zijn enkel, zodat via een koordje een gewicht aan de enkel van Pieterjan bevestigd kon worden. *Tractie* heet dat in het doktersjargon. Daarmee was de pijn verdwenen. Pieterjan had een heupprothese nodig, maar die waren… 'op'. Daarom verhuisde Pieterjan naar een ander ziekenhuis, 205 km daar vandaan. Er aangekomen bleken die ook net 'op' te zijn. Op het einde van het jaar zijn er in de Nederlandse ziekenhuizen meer dingen 'op'.

conclusie.

Een ziekenhuis in Nederland kan per jaar slechts een afgemeten aantal heupprotheses inplanten. Dit geldt ook voor andere therapieën. Op die manier ontstaan enorme wachtlijsten. In België bestaan dergelijke wachtlijsten niet. Hier word je als patiënt op je wenken bediend. Na vier pijnlijke ritten in de ambulance is toch een uitkomst voor Pieterjan gevonden. Zijn Vlaamse vrienden hebben hem aangeraden in Vlaanderen een heupprothese te laten plaatsen. En zo gebeurde.

Deze gevalsbesprekingen zijn voor artsen een didactisch middel. Soms heb ik de indruk dat politici nog veel meer 'gevalsmatig' denken. Gelukkig proberen artsen nooit de mens te vergeten. Dat mag u van hen ook verlangen. Net als van de politici trouwens. Het kan dus nogal confronterend overkomen dat patiënten tot een 'geval' herleid worden. Maar ik koos er bewust voor dit stramien te hanteren, in de hoop dat het vragen oproept. Ik heb dit boekje ook niet geschreven over het gezondheidszorgsysteem. Ik schreef het over de miljoenen mensen die in dit systeem gevangen zitten. Ze zijn geen gevallen, maar mensen, stuk voor stuk!

IX.
Duizend bommen en granaten

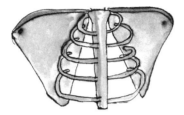

Om een regionalisering van de gezondheidszorg af te blokken, zijn blijkbaar alle wapens goed. Zogenaamde progressieven gedragen zich daarbij als oerconservatieven. Hun eeuwige dooddoener luidt dat een Vlaamse gezondheidszorg zogezegd verzekeringstechnisch niet gedragen kan worden door 'slechts' 6 miljoen Vlamingen. Ook Roeland Bijl, journalist bij *Trends*, bezondigde zich aan dit cliché in het boek *Red de Welvaartsstaat*. Als ik al die onzin lees, sakker ik binnensmonds. Te meer daar de tegenstanders van een regionalisering ermee dwepen dat ze 'internationalisten' zijn en dat Vlaams bekrompen is of 'verdacht'. Vreemd als je weet dat Ieren, tot en met Bono van U2, zich zonder schroom Iers noemen. Voor de Ieren zijn nationalisme en internationalisme niet tegenstrijdig. Voor mij ook niet en daarom wil ik critici met een internationaal voorbeeld overtuigen.

Ik vond de tijd daarvoor rijp en aarzelde niet een buitenlands exempel naar hier te halen. Dat gebeurde tijdens het door mijn partij georganiseerde colloquium GEZONDHEIDSbeZORGd dat op zaterdag 3 december 2005 in Brugge plaatsvond.

Professor Lieven Annemans en de Baskische minister van Volksgezondheid, Gabriel Maria Inclan Iribar vormden er als het ware een tandem. Op enthousiaste wijze schetsten beide heren hoe een Vlaamse gezondheidszorg er op theoretisch en praktisch vlak zou kunnen uitzien.

Euskadi: alles behalve duizend bommen en granaten

De Baskische minister van Volksgezondheid, een arts, schetste op een enthousiaste en aanstekelijke wijze de gezondheidszorg in Euskadi. Baskenland telt bijna 2,2 miljoen inwoners en heeft binnen Spanje een hoge graad van autonomie. Tachtig percent van alle beslissingen worden door Basken zelf genomen, ze innen zelf hun belastingen en organiseren zelf hun gezondheidszorg. Ze houden wel rekening met een aantal basisregels die de Spaanse staat hen oplegt. Hoewel de Baskische bevolking, net als de Vlaamse, vrij oud is, gaat slechts 6% van het BNP naar gezondheidszorg. In België is de kaap van de 10% net overschreden.

Dat binnen eenzelfde land meerdere vormen van gezondheidszorg mogelijk zijn, bewijst Catalonië. Ook de Catalanen organiseren eigenmachtig hun gezondheidszorg, maar zij innen hun belastingen niet zelf. In tegenstelling tot de Basken ontvangen zij van Madrid een enveloppe, een vast bedrag waarmee zij hun gezondheidsding doen.

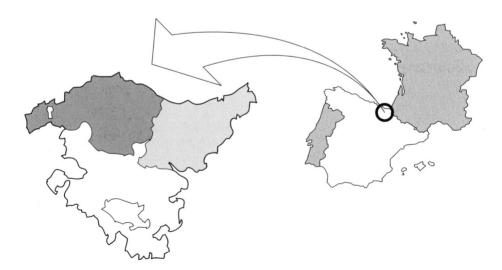

Baskenland of Euskadi beslist zelf over zijn gezondheidszorg

Bij het horen van het Baskisch verhaal ging ik op het puntje van mijn stoel zitten. De vergrijzing speelt dus geen significante rol in een goed georganiseerde gezondheidszorg. Terwijl dit nu net één van de wortels is die de Franstaligen voor de Vlaamse neus hangen. "Vlaanderen zal weldra een ouder publiek hebben en dan zal Wallonië wél solidair zijn", heet het. Nu blijkt dat Euskadi met diezelfde 'grijsaards' geen noemenswaardige problemen ondervindt...

Vol gloed presenteerde de minister cijfers die het cijfermatige overstegen. Een zéér lage moeder- en kindsterfte, een enorm hoge vaccinatiegraad, een levensverwachting analoog aan die in Vlaanderen, 100% tandverzorging bij kinderen. En niet onbelangrijk: een tevredenheidspercentage over hun gezondheidszorg van meer dan 92%! Verder verbaasde de minister ons met een uitstekend programma voor borstkankerscreening, een adequate aidspreventie en Osatek, een instantie die er voor zorgt dat bij aankoop van dure apparatuur (zoals scanners) de aankoopprijs voor de ziekenhuizen met ongeveer éénderde vermindert.

Om al deze redenen verwondert het niet dat de Basken de ene na de andere internationale prijs voor hun gezondheidszorg wegkapen. Was het niet dat de minister zijn betoog in het Spaans hield, ik zou gedacht hebben dat hij het over Scandinavië had. Scandinavische landen gelden namelijk als schoolvoorbeelden van goede gezondheidszorg. De Basken steken de noorderlingen naar de kroon met 313 eerstelijns gezondheidscentra en slechts 18 ziekenhuizen. 22.416 mensen, waarvan 5.068 artsen, werken er in de gezondheidszorg.

Ziekenhuisopname

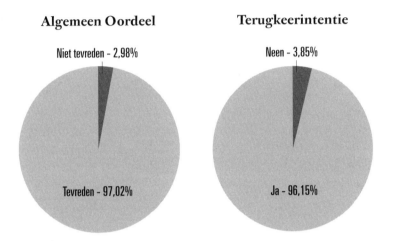

Algemeen Oordeel

Niet tevreden - 2,98%

Tevreden - 97,02%

Terugkeerintentie

Neen - 3,85%

Ja - 96,15%

Spoedgevallen

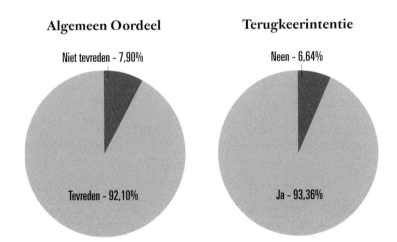

Algemeen Oordeel

Niet tevreden - 7,90%

Tevreden - 92,10%

Terugkeerintentie

Neen - 6,64%

Ja - 93,36%

Baskische lessen voor Vlaanderen

Dat een regio met nauwelijks 2,2 miljoen inwoners en een zelfde graad van vergrijzing dergelijke resultaten kan neerzetten, bewijst dat het ook voor Vlaanderen mogelijk is een eigen gezondheidszorg te organiseren. Een kopie van het Belgisch systeem is uit den boze. In overleg met alle betrokkenen, én dus ook met de patiënt, moet Vlaanderen beter doen dan nu. En nog belangrijker: Vlaanderen moet zorgen dat een uitstekende gezondheidszorg voor de toekomst gewaarborgd is. De huidige tendens tot regelneverij komt vanuit Nederland naar ons overgewaaid. Dat is nu net iets wat we niet moeten overnemen van onze noorderburen. Op die manier creëer je trouwens opnieuw een X- inefficiëntie van het beleid: mensen maken deel uit van het beleid terwijl niemand eigenlijk weet wat ze concreet doen. Het verhaal van Euskadi toont aan dat een ambitieuze regio wel degelijk de toekomst van zijn kinderen en kleinkinderen veilig kan stellen.

"Daar zijn moed en lef voor nodig!" Het was de goede raad die minister Gabriel Iribar mij in het oor fluisterde alvorens naar Euskadi terug te vliegen.

X.

Lof der Gezondheid

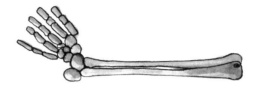

Desiderius Erasmus heeft in zijn *Lof der Zotheid* geen hoge pet op van hoogwaardigheidsbekleders. Zijn boek is dan ook een paradoxale lofrede waarin hij de *Dwaasheid* uitbundig bejubelt. Erasmus schroomde zich niet om bestaande toestanden door de mangel te halen. Naarmate je verder leest, word je echter een bitter gevoel gewaar. Erasmus' *Lof der Zotheid* is als het ware een literaire hofnar. Erasmus kende het fenomeen van de hofnar, hij had er meer respect voor dan voor clerici, politici, rechters, … én artsen.

Zo corrigeerde hij in zijn *Lof der Zotheid* Homerus (*Illias*) die stelde: "Enkel de arts is een man die vele anderen waard is". Erasmus repliceerde: "Juist voor dit beroep geldt: hoe minder je weet en hoe meer risico's je neemt en hoe minder je nadenkt, des te groter wordt je reputatie bij met goud behangen hoge heren. Maar ja, geneeskunde, zeker zoals die tegenwoordig vrij algemeen bedreven wordt, is dan ook in feite een van de vele onderdelen van vleierij, zeker niet minder dan de retorica." Erasmus zette zich af tegen de machthebbers van zijn tijd. Aanvankelijk werd zijn geschrift gedoogd, maar later onder impuls van de Kerk verguisd en op de beruchte codex geplaatst. Wat niet belette dat Erasmus met zijn *Lof* een voorzet naar de Verlichting gaf. Het boek zet ook mij aan tot meer bescheidenheid en relativering.

Kritiek geven op de huidige gezondheidszorg is de omerta doorbreken. Ook mijn boekje wil een paradoxale lofrede zijn. Al koestert het niet de literaire ambities van Erasmus' *Lof*.

Graag bewierook ik onze gezondheidszorg als één der beste van de wereld. Maar als arts en als politiek betrokkene bij die gezondheidszorg, móet ik spreken. Wie dagelijks met gezondheidszorg bezig is, wordt met surrealistische toestanden geconfronteerd.

Ik vergelijk de gezondheidszorg met een schilderij van Salvador Dali. Het doek oogt mooi, alles lijkt te kloppen, de compositie is geslaagd, het kleurenpalet is speels. Maar als je er met je neus op zit, zie je louter surrealistische toestanden. Neemt de schilder je bij de neus? Lacht hij je uit? Moet je een verklaring zoeken voor wat hij je voorschotelt? Ben je een dwaas?

Ook als je onze gezondheidszorg nader bekijkt, merk je surrealistische situaties. Alleen gaat het hier nu niet om een schilderij, maar om een systeem dat ten dienste van de mensen staat. Politici zijn verantwoordelijk voor dit systeem. Zij zetten de bakens uit en doen dit best in overleg met deskundigen. Maar politici luisteren niet meer. Er is geen dialoog tussen hen en de zorgverstrekkers. Laat staan met de patiënten. Minister Rudy Demotte en zijn volmachten zijn daar de emanatie van. De hoogwaardigheidsbekleders van vandaag zijn artsen, paramedici, sociale partners, politici, ziekenfondsen, …

In de *Lof der Gezondheid* wil ik ze terechtwijzen. De arrogantie waarmee ze weigeren het Huis der Gezondheid grondig te renoveren, ervaar ik als wraakroepend. Daarom roep ik op tot meer bescheidenheid. Zoals men zichzelf voortdurend in vraag moet stellen, zo moet men ook de gezondheidszorg tegen het licht durven houden. Zij is geen mooi schilderij meer. Foute belichting, te grote temperatuurschommelingen, teveel vochtigheid hebben het doek doen afbladderen.

Het ontbreekt aan durf en moed om de gezondheidszorg te restaureren. Ondertussen tracht iedereen iedereen te overtuigen dat het toch zo'n mooi ding is.

Mijn gezondheidszorg

Ik neem mijn ezel en span er een nagelnieuw canvas op. Het schilderij begin ik met een vermiljoenrode grondlaag want solidariteit is het fundament van mijn gezondheidszorg. Zij is geen pure vrije markt waar het kapitalisme ongebreideld zijn gang gaat. Maar het rood is nog niet droog of ik voeg er wat blauw bij. Ik weet dat een zekere vrije markt nieuwe technieken en geneesmiddelen mogelijk maakt. Vervolgens roep ik alle mensen van mijn atelier samen, want de compositie is geen eenmanszaak. In overleg met de landschapsmeesters wordt een eerstelijn uitgetekend. Alle vormen van preventie, zorg en een sterke huisartsgeneeskunde vormen de krachtlijnen van het geheel en dragen het baldakijn.

Ja, het ziekenhuis wordt gedragen door de eerstelijn. Iedereen krijgt er zijn plaats. Geen detail wordt uit het oog verloren, maar overbodige zaken gaan eruit. Het schilderij is toegankelijk voor Jan en alleman. Er is geen gps nodig om er je weg in te vinden of om alles te begrijpen. De olieverf is van prima kwaliteit, wat het werk ook duurzaam maakt.

De voorstelling baadt in het groen waarvan alle mogelijke schakeringen in harmonie aanwezig zijn. Een goede gezondheid spruit namelijk voort uit een gezond leefmilieu. Moeder en kind springen in het oog, centraal onder het baldakijn. Zij symboliseren het leven.

Het schilderij wordt niet gesigneerd, het is het werk van velen. Het hangt in een museum naast vele andere schilderijen waarvan het verhaal eender is, maar telkens met een andere invulling. Elk van de werken wordt voortdurend bijgeschaafd, daarbij leren de kunstenaars aan en van elkaar. Een nieuw-Vlaams werk krijgt zo gestalte.

Het manuscript werd afgesloten op 4 juli 2006.

St 14,90 2u 8908
1106